दरवाजे दरवाजे न रहकर
कोई न कोई झंडा बन गए हैं
और झंडा बनकर ही निकलते हैं
पंचायतों में
मेलों में
स्कूलों में
पर्वों में
एक-दूसरे को मौन घूरते रहते हैं
बीच की दूरियों में उगती रहती हैं—
कचहरियाँ

कोयल गाती है किसी झंडे का गीत
फूल खिलते हैं किसी झंडे की प्रीति
खेत पकते हैं लेकर किसी झंडे की आँच
घेरकर किसी झंडे को हवा रही है नाच
जल बहता है किसी झंडे के पीछे
धूप उठती गिरती है
नीचे और ऊपर, ऊपर और नीचे
एक प्रेम होता है झंडे की मीठी छाँह में
एक मौत बेखौफ़ घूमती है
झंडे से घिरी राह में
दिन दहाड़े उल्लू बोलते हैं, आदमी चुप है
खाइयों और गुफाओं में उजाला है
मैदानों में अँधेरा घुप है

× × ×

—और झंडे के नीचे
एक तालाब सूखता जा रहा है
लगातार...लगातार....

—और डॉ. सरोज कहता है—
यह तो राजनीति का ज़माना है
एक चीज दूसरी से जुड़ जाती है।
इसलिए कह रहा हूँ भइया कि
इस घटना को नैतिकता, अधर्म
और सात पुश्तों की नाक कटने
से न जोड़कर शुद्ध राजनीति से जोड़िए।
बड़े-बड़े धार्मिकों, नेताओं और
महापुरुषों के घरों में क्या-क्या पाप
होते हैं इसकी आपको क्या खबर?

सूखता हुआ तालाब

रामदरश मिश्र

परंपरा पब्लिकेशन

ISBN : 81-88715-40-9

परंपरा पब्लिकेशन

डी-602 बी, गली नं. 15, भजन पुरा
दिल्ली-110053
द्वारा प्रकाशित
संस्करण : 2011

मूल्य : 125.00

आर.टेक. प्रिंटर्स, शाहदरा, दिल्ली-110093
द्वारा मुद्रित

परंपरा पब्लिकेशन, वाणी प्रकाशन की सहयोगी संस्था

"सुनिये, आपसे एक भेद की बात कहनी है।"

समधी देवव्रत ने पीछे मुड़कर देखा—गाँव का कोई अपरिचित-सा आदमी है। चलते-चलते कहा, "कहिए, मैंने आपको पहचाना नहीं।"

"आप पहचानेंगे कैसे? आप दूसरे गाँव के, मैं दूसरे गाँव का। मैं आपके भले के लिए एक बात कहने आया हूँ।"

देवव्रत जी ठिठककर खड़े हो गए, जैसे कह रहे हों—हाँ, कहिए, मैं तैयार हूँ।

उस अपरिचित ने कहा, "आपको धोखा दिया गया है। आप देवप्रकाश के यहाँ अपना लड़का ब्याहने आए हैं, आपको पता नहीं अवतार कुछ दिन पहले एक पासिन के साथ आशनाई करते पकड़ा गया था और पीटा गया था। उसी की लड़की के साथ आप लड़का ब्याहने आए हैं। सारे पट्टीदारों ने उसके यहाँ से सम्बन्ध तोड़ लिया है। आपको इसकी सूचना दी गई थी क्या?"

समधी जी गम्भीर हो गए, "हाँ, सचमुच ही यह बात मुझे नहीं बताई गयी थी। आपका नाम क्या है, श्रीमान जी?"

"धर्मेन्द्र।" हुलास के साथ उसने बताया।

"काम क्या करते हैं, श्रीमान जी?"

"श्रीमान जी, मैं पास के ही हाईस्कूल में संस्कृत का अध्यापक हूँ।"

"यह तो बड़ी अच्छी बात है कि आप मास्टर हैं। बड़े परोपकारी मालूम होते हैं। यथा नाम तथा गुण।"

"जी" कहकर धर्मेन्द्र उनके चेहरे की प्रतिक्रियाएँ पढ़ने लगा।

"धर्मेन्द्र जी!"

"जी!"

"तो अब तो शादी हो चुकी है, अब क्या किया जाए?"

"अरे श्रीमान जी, आपको धोखा दिया गया है, आप इसी बात पर रिश्ता तोड़ लीजिए। ये लोग अपने किए का फल पायेंगे।"

"हुँ, ठीक कहते हैं मास्टर जी, लेकिन एक बात पूछूँ?"

"जी, एक बात नहीं, कई बात पूछें।"

"नहीं, बस एक ही बात। कभी आपने अपने घर की औरतों से पूछा है कि वे एकदम साफ-पाक हैं?"

"जी, आप तो मज़ाक करने लगे।"

"मज़ाक नहीं, मास्टर जी, पहले आप पूछ तो आइए।" कहकर देवव्रत ने अपनी हँसती-सी नज़र मास्टर के चेहरे पर गड़ा दी।

"जी आप जा सकते हैं" कहते हुए देवव्रत आगे बढ़ गए।

देवव्रत जी उसी दिन इस घटना को अवतार के बड़े भाई देवप्रकाश से हँस-हँसकर सुना रहे थे।

देवप्रकाश ने पहली बार अनुभव किया कि शादी-ब्याह करने आया हुआ समधी भी इतना मानव और खुला हुआ हो सकता है। कई दिनों से उसके भीतर एक दहशत घर किए हुए थी कि क्या होगा? वह इसी दहशत से दबा हुआ अपनी सारी खातिर बात के बावजूद कुछ बरातियों की बदतमीज़ियाँ भी बर्दाश्त कर रहा था। उसका जी हल्का हो आया और समधी के प्रति अति कृतज्ञ। लेकिन उसके भीतर कहीं भयानक प्रतिहिंसा इस मास्टर धर्मेन्द्र के प्रति धधक उठी। वैसे वह जानता था कि पट्टीदारों के इस बॉयकाट में धर्मेन्द्र का प्रधान हाथ है लेकिन वह उसके समधी से इस प्रकार की शिकायत करेगा इसका गुमान उसे न था। "देखो तो दो कौड़ी के इस मास्टर को, सचमुच ही अपनी बड़ी बहन से नहीं पूछता, और धर्म का ठेकेदार होकर हमारे घर के पीछे पड़ा हुआ है। देखूँगा कमीने तुम्हें!"

बारात चली गई थी। बारात के चले जाने का एक सूनापन चारों ओर अलसाया पड़ा था। लेकिन यह सूनापन देवप्रकाश के मन के भीतर दोहरा-तिहरा होकर गहरा रहा था। वह अपने बरामदे में लेटा हुआ कई दिन की थकान उतार रहा था। या यों भी कहा जा सकता है कि वह शोर के थम जाने के बाद बाहर-भीतर एक थकान महसूस कर रहा था कि सामने के दरवाजे पर मास्टर धर्मेन्द्र की आवाज़ सुनाई पड़ी, "अरे शिवलाल चाचा, क्या बताऊँ, साले पासी बराती हमारा दरवाजा, पानी का पंप, नाद सभी भ्रष्ट कर गए। सवेरे से ही इन्हें धुलवा रहा हूँ। आक् थू..."

शिवलाल चालाक आदमी हैं। कुछ नहीं बोले। न सुनने का बहाना करते हुए खांची में गोबर उठाते रहे।

अवतार फट्टर फट्टर जूता फटफटाता हुआ दिशामैदान से लौट रहा था। देवप्रकाश ने अवतार और धर्मेन्द्र दोनों को एक साथ देखा और उसे एक अवश क्रोध चीरता हुआ निकल गया। उसकी इच्छा हुई कि गँड़ासा उठाये और काट दे—पहले किसे काटे, इसे वह सुलझा नहीं सका।

आज तक किसी ने उसके खानदान पर उँगली नहीं उठाई थी। उसके बाबा लठैत थे, उनके पौरुष का आतंक चारों ओर छाया रहता था, उसके पिता और चाचा सैलानी प्रवृत्ति के ज़रूर थे लेकिन इस तरह की कोई शिकायत सुनने में नहीं आयी।

सैलानी...अरे, तब तो लोग सैलानी ही होते थे। मस्ती के साथ घूमना, मस्ती के साथ दोस्ती करना, मस्ती के साथ दुश्मनी करना। कहीं किसी के पैर ऊँचे-नीचे पड़ गए तो सब लोग मिलकर उबार लेते थे, अब तो नपुंसकों की जमात है...दोस्ती और दुश्मनी नपुंसकों की। कौन किसका दोस्त है कौन किसका दुश्मन, इसे कोई पहचान नहीं पाता। अब देखो इस धर्मेन्द्र मास्टर को, इसका मैंने क्या बिगाड़ा था। लेकिन मेरे घर के खिलाफ झंडा लिए घूमता है। इसकी बिसात ही क्या है? दो बीघे खेत है, बाप घूम-घूमकर सेज्जा लेता रहा और बहन घूम-घूमकर...जाने दो केकड़े को, एक ही लाठी में तो ऐंठ जाता और सारी पवित्रता भूल जाता। लेकिन वह जानता है कि उसके पीछे कई लोगों का बाहु-बल है।

अहँहँ...शिवलाल ने खँखारते हुए तिरछे देवप्रकाश की ओर देखा। देवप्रकाश मन ही मन बुदबुदाए और जब क्रोध भीतर नहीं अँटा तो अपने बड़े लड़के रवीन्द्र को बुलाकर कहा, ''देखो, खाना कुत्तों के लिए बना था, उसे बैलों को खिला दो। आखिर गाँव के कुत्तों से अपने बैल अधिक नजदीक हैं न, कुत्ते तो खाकर खाली भौंकते हैं और राह-बिराह टट्टी करते हैं, अपने बैल तो खेत जोतते हैं। हाँ, जाओ।''

रवीन्द्र अपनी छोटी-छोटी मूँछों पर हल्के-हल्के हाथ फेरता और शिवलाल की ओर घूरता चला गया।

शामदेव और शिवलाल, शिवलाल और शामदेव—धर्मेन्द्र के दाएँ-बाएँ, बाएँ-दाएँ लिपटे हुए बिजली की तरह देवप्रकाश के भीतर कौंधने लगे। घारी[1] के बंगले में से अवतार की हँसी की आवाज सुनाई पड़ रही थी। रिश्तेदारों के साथ वह गम्मज[2] कर रहा था। देवप्रकाश मन ही मन किचकिचाये—देखो इस पतित को, पता नहीं कैसे हँसी सूझ रही है। इसी के कारण तो सब कुछ हुआ और यह हुआँ रहा है सियारों की तरह।

देवप्रकाश उठकर धीरे-धीरे बगीचे की ओर चले गए। बगीचे से सटा हुआ एक बड़ा तालाब है—रामी तलाव। तालाब के चारों ओर कुछ ऊँचे-ऊँचे बाँध थे। वे अब सपाट होते जा रहे हैं। तट पर ही पीपल का एक बड़ा पेड़ है। तलाव के दूसरे तट पर काली माई का मन्दिर है। हर शनिवार को भक्तों द्वारा पीपल के पेड़ की परिक्रमा होती है। देवप्रकाश अँगोछा बिछाकर उसी पीपल के नीचे लेट गए। उदास आँखों से उन्होंने तालाब को देखा—पानी सूखता जा रहा था और कीचड़ की सड़ाँध-सी उठ रही थी।

हाँ, यह रामी तलाव है। सुना है किसी पूर्वज ने दशहरे के दिन इसे खुदवाना शुरू किया था। इसीलिए इसे रामी तलाव कहा गया। बार-बार सूखा पड़ने लगा था।

1. पशुओं के बाँधने की जगह।
2. हँसी-मज़ाक।

गाँव के लोग परेशान थे। वे पूर्वज गाँव के मुखिया थे और सम्पन्न भी। उन्हें सपना आया कि दशहरे के दिन एक तालाब खुदवाना शुरू करो, फिर सूखा दूर हो जाएगा। उसी पूर्वज ने यह बड़ा-सा तालाब खुदवाया था और चूँकि दशहरे के दिन उसका खुदना शुरू हुआ था इसलिए उसका नाम रामी तलाव रखा गया। दशहरे का समय दुर्गापूजा का भी समय होता है, इसलिए तालाब के किनारे काली माई का एक छोटा-सा मन्दिर भी बनवाया गया। देवप्रकाश सोचने लगे कि सूखे से और दशहरे से क्या सम्बन्ध? होगा कुछ। पता नहीं, अतीत के गर्भ में क्या-क्या छिपा हुआ है। उसे हम अपने ढंग से सुलझाने का प्रत्यन करते रहते हैं। हो सकता है इसका सम्बन्ध सीता से हो, सूखा दूर करने के लिए हल जोतते हुए जनक ने सीता को पाया था। और फिर राम ने उन्हें दशहरे के दिन रावण के चंगुल से छुड़ाया था। जो भी हो, कुछ तो होगा ही।

फिर उनके भीतर एक हूक-सी उठी। और कल की सारी घटनाएँ उन्हें मथने लगीं। उन्होंने उसे भुलाकर तालाब की ओर देखना शुरू किया और यह तालाब तभी से बड़ा पवित्र माना जाता रहा है। गाँव के सारे धार्मिक कार्य इसी के तट पर सम्पन्न होते रहे हैं। कथा-वार्ता, मनौतियाँ यहीं पूरी होती हैं। शादी-ब्याह, जनेऊ, मुंडन, ग्रहन और पर्वों के अवसर पर यहीं नहाते हैं। इसी के तट पर बगीचे में बारातें टिकती हैं। देवप्रकाश ने देखा—एक आदमी उस तट पर आबदस्त ले रहा था। हाँ, अब तो यह भी शुरू हो गया है। पहले तो इसमें आबदस्त लेना, मछली मारना सभी मना थे। कोई कानून थोड़े ही था, एक परम्परा बन गई थी और लोग उसे पवित्र भाव से मानते आ रहे थे।

पुऊँ...ऊँ...ऊँ शंख बजा। अब जाकर उन्होंने देखा कि काली के थान पर कोई कथा-वार्ता सुन रहा है और एकाध आदमी तालाब के सूखते हुए गंदे जल में नहाने की क्रिया सम्पन्न कर रहे हैं। हाँ, क्रियाएँ तो अभी भी चल रही हैं लेकिन उन क्रियाओं की आत्मा छूटकर कहीं गिर गई है। उन्हें बचपन का यह तालाब याद आ गया। उसमें हमेशा गहरा पारदर्शी जल भरा होता था और जैसे पूरे गाँव का चेहरा उसमें अपने को देखता था। और धो-धोकर साफ करता था। तब जल की पवित्रता को सुरक्षित रखने के लिए चारों ओर ऊँचे-ऊँचे बाँध थे। कच्चे, किन्तु साफ-सुथरे घाट थे। और अब? न जाने कब ठंडी हवा के स्पर्श से देवप्रकाश को नींद आ गई।

'मार कमीने को, मार कमीने को' चीखते हुए वे हड़बड़ाकर जाग पड़े। देखा—सामने मामा का लड़का सरोज खड़ा था। देवप्रकाश शरमा गए।

"क्या है, भइया? किसे मार रहे हैं?"

"अरे किसी को नहीं रे, सपना था।"

"तो भी सपने में तो किसी को पीट रहे थे।"

"हाँ, अभी तो सपने में पीट रहा था, कभी कमीने को जागते में भी पीटूँगा।"

"किसको?"

"अरे, वही धर्मेन्द्र मास्टर है न, उसी को।"

"अच्छा-अच्छा, वह मास्टर?"

"हाँ, वह बड़ा धर्मात्मा बनता है न?"

"भइया, बात क्या हुई? मैं कुछ समझ नहीं पा रहा हूँ। आखिर पूरे गाँव ने आपके यहाँ खाने-पीने से क्यों इनकार कर दिया।"

"तुम नहीं जानोगे सरोज, अभी शहर से नए-नए आये हो न। यह गाँव की ज़िन्दगी कितनी खराब हो गई है, इसकी तुम्हें कल्पना भी नहीं हो सकती। यह सब राजनीति का खेल है। गाँव के नेता लोग मुझसे जलते हैं। मैं किसी कमीने को खतियाता नहीं हूँ। जब से मैं नौकरी छोड़ कर आया, ये सब अपने षड्यन्त्र में मुझे भागीदार बनाना चाहते हैं। मैं यह सब नहीं करता। अपनी ईमानदारी लिए सबसे जूझता रहता हूँ। बस इस राजनीति को एक घटना हाथ लग गई और यह सब हो गया।"

"भाई साहब, पूरी बात क्या है? मैंने यहाँ-वहाँ कुछ सुना तो है, लेकिन कोई बात साफ नहीं हुई।"

"बात क्या हुई भाई, अवतरवा ने सात पुश्त को गाड़ दिया।"

"आखिर हुआ क्या?" के भाव से सरोज देखता रहा।

"अब देख भइया, तू डॉक्टरी पढ़-लिखकर आया है न, तेरी पोस्टिंग गाँव में हुई है। तू खुद ही जान लेगा कि गाँव क्या होता है?...बात यह हुई भई कि शामदेव और शिवलाल जो हैं न, ये अपने को गाँव का नेता मान बैठे हैं। अब चाहते हैं कि इनकी ओछी हरकतों के सामने झुक जाऊँ। इन्हें गाँव का राजा मान लूँ। बस, छोटी-छोटी बात पर तनाव बढ़ता गया और यह जो मेरे चाचा का लड़का अवतार है, यह नम्बरी आलसी है। लेकिन इसे राजनीति का शौक चढ़ आया। तुम तो जानते ही हो, चकबन्दी के समय यह ए.सी.ओ. के यहाँ लेखपाल का काम करता था। बस उसी में पड़ोसी गाँव अहिरौली के कुछ अहीरों, बनियों, खेतिहर पासियों और हरिजनों को भिड़ा दिया। उसी से काफी लोग असन्तुष्ट हो गए और चकबन्दी का काम खत्म होते ही उसे पीटने का उपाय सोचने लगे। बस सुनते हैं यह वहाँ की एक पासिन से फँसा था। उसी सिलसिले में वहाँ वालों ने उसे पीट दिया। अब बताओ, सरोज भइया, इस अवतरवा को यही चाहिए था? पैंतालीस साल का हुआ और इसकी हवस नहीं गई। इच्छा होती है कि या तो अपनी जान दे दूँ या इसकी जान ले लूँ।"

"भइया, एक बात पूछूँ, बुरा न मानियेगा। अवतार भइया ठहरे विधुर। सुना है वे पत्नी के मरने के बाद फिर शादी करना चाहते थे, आपने रोक दिया। यदि अपनी सहज वासना-तृप्ति के लिए उन्होंने किसी पासिन से सम्बन्ध रखा तो इसमें कौन-सा पहाड़ टूट पड़ा। इसमें कौन-सी सात पुश्त डूब गईं। नैतिकता के ठेकेदार इन पट्टीदारों से पूछिए कि छिप-छिपकर कौन-कौन क्या-क्या करता है?"

"यही तो बात है, सरोज। मैं मानता हूँ कि हर आदमी एक-सा संयम नहीं कर सकता। अवतार ने यदि यह सम्बन्ध रखा तो आफत नहीं आ गई। लेकिन पासिन को अपने खेत-खलिहान में न बुलाकर उसके घर में घुसने की क्या जरूरत थी? और उसके घर में घुसकर उसी गाँव के लोगों से राजनीति खेल रहे हो। राजनीति के लिए अक्ल होती है और आशनाई करने के लिए भी। और जब दोनों मिल जाएँ तो दूनी अक्ल चाहिए। तुमने पट्टीदारों की बात उठाई। ठीक ही है, किसी भी घर का कोई आदमी कुकर्म से बचा नहीं होगा। लेकिन सभी लोग इस सफाई से अपना काम कर लेते हैं कि चर्चाएँ तो होती हैं लेकिन वे पकड़ में नहीं आते। भई, मांस खाकर हड्डी को गले में बाँधकर घूमने का क्या मतलब होता है?"

"हाँ, सो तो ठीक ही है भइया, लेकिन इससे यह साबित नहीं होता कि और लोग पुण्यात्मा हो गए और अवतार भइया पापी। यह तो राजनीति का ज़माना है। एक चीज़ दूसरी से जुड़ जाती है। मैं मानता हूँ कि इसी गाँव के अनेक लोग पहले भी पकड़े गए होंगे आशनाई में, लेकिन लोगों ने उन्हें हँसकर, गाली देकर छोड़ दिया होगा या पट्टीदारों ने इस घटना को पचा लिया होगा। अब यह सब राजनीति का ही प्रताप है। अहिरौली वाले अपना क्रोध निकालने की ताक में रहे होंगे और मौका पाकर पीट दिया होगा और क्या पता झूठा इल्ज़ाम लगाकर पीट दिया हो। और राजनीति का ही यह भी परिणाम है कि आपके गाँव वाले शामदेव और शिवलाल के इशारे पर आपका सामाजिक बहिष्कार कर उठे। इस राजनीति को तो आप स्वयं समझ रहे हैं, मैं अधिक क्या कहूँ? और यदि मैं यह कहूँ कि इस बहिष्कार के जिम्मेदार कहीं आप भी हैं, बल्कि ज्यादा हैं, तो आपको कैसा लगेगा?"

"क्या?" चीखकर देवप्रकाश ने पूछा।

"हाँ, आप। वास्तव में इन दोनों नेताओं ने अवतार से नहीं, आपसे बदला लिया है। आपसे अर्थात् आपके निखालिस ईमानदार और गुटहीन व्यक्तित्व से। है न!"

देवप्रकाश कुछ सोच नहीं सके कि वे क्या उत्तर दें।

"इसीलिए कह रहा हूँ भइया, इस घटना को नैतिकता, अधर्म और सात पुश्तों की नाक कटने से न जोड़कर शुद्ध राजनीति से जोड़िए। बड़े-बड़े धार्मिक नेताओं, महापुरुषों के घरों में क्या-क्या पाप होते हैं, इसकी आपको क्या खबर? फिर ये पिद्दी किस खेत की मूली हैं?"

"ठीक है, सरोज!" देवप्रकाश इसका अनुभव करते हुए बोले, "यह बहिष्कार भी मेरे सपने को ही साकार करता है। मैं प्रायः सोचता रहा हूँ कि शादी-ब्याह, मरण-जीवन के अवसरों पर यह भीड़-भड़क्का बेकार की चीज़ है। आदमी के पसीने की कमाई खाने के लिए इन अवसरों पर खामखाह इतने कलन्दर[1] इकट्ठे हो जाते

1. फालतू लोग (स्थानीय प्रयोग)

हैं। इनसे मुक्ति मिलनी चाहिए। लेकिन इस सपने को व्यवहृत करने में एक संकोच अनुभव होता था—लोग सोचेंगे कि मैं कंजूस, हूँ, सबके यहाँ खा-पीकर अपने यहाँ खिलाने-पिलाने से भाग रहा हूँ। अब अपने आप यह सब हो गया, अच्छा ही हुआ।''

''इस माने में तो आपको अवतार भइया का एहसानमंद होना चाहिए।'' कहकर सरोज ज़ोर से हँसा। देवप्रकाश भी हँस पड़े और दोनों घर की ओर रवाना हो गए।

देवप्रकाश के यहाँ खाना खाने गाँव के दो-तीन आदमी आए, और पास के नारायणपुर गाँव के दूबे लोग। शिवलाल, शामदेव और धर्मेन्द्र ने नारायणपुर जाकर वहाँ के दूबे लोगों को बहुत समझाया-बुझाया लेकिन उन लोगों ने इनका तिरस्कार कर दिया और साफ-साफ कह दिया कि जब हम लोगों ने अपने गाँव के शंकर का बहिष्कार कर दिया था तो आप लोगों ने लोटा उठाकर उसे पवित्र किया था। फिर किस मुँह से मना कर रहे हैं? शंकर भी वहीं बैठा हुआ था। हँसकर उसने अपने पट्टीदारों का समर्थन किया और सुरती खाकर पच्च से थूक दिया। फिर सँभलकर लोगों से कहा कि ''वास्तव में आप लोगों को धर्म-कर्म की समझ है नहीं, अपने ईर्ष्या-द्वेष के कारण यह सब फंदा फाँदे हुए हैं। मैंने अन्तर्जातीय विवाह किया था, मेरे गाँव वालों ने मेरा सामाजिक बहिष्कार किया था। चूँकि मैं शिवलाल जी का सम्बन्धी हूँ इसलिए आप लोगों ने मेरे गाँव वालों के मना करने के बावजूद मेरे यहाँ अन्न-जल ग्रहण किया था। मेरे गाँव वालों ने भी कहा था कि कथा-वार्ता सुनो, तीर्थ-जाप करो तो तुम्हें हम अपने में मिला लेंगे। लेकिन जिसके पास इतनी खुली दृष्टि है कि वह अन्तर्जातीय विवाह कर सकता है वह कथा-वार्ता और तीर्थ-जाप जैसा घटिया काम क्यों करेगा? खैर, मेरे गाँव वाले आप लोगों से काफी समझदार हैं, उन्होंने मुझे बिना किसी शर्त के अपना लिया। लेकिन आप लोगों को क्या कहूँ?''

''तुम तो नास्तिक हो शंकर, इससे कथा-वार्ता, तीर्थ-जाप का महत्त्व घट जाएगा क्या? हम लोग भी चाहते हैं कि अवतार तीर्थ करके कथा-वार्ता सुन ले तो हम लोग अपने में मिला लें।'' शिवलाल ने अपनी कतरनी जैसी जबान में सहानुभूति का शीरा लपेटकर कहा।

''यदि इतनी ही बात होती भाई साहब तो भी एक बात होती। लेकिन यह बताइए कि आपके गाँव के मोतीलाल हैं न, जिन्हें आप लोग बरसों से बेधर्मी, नास्तिक और जाने क्या-क्या कहते आ रहे हैं उन्हें कभी अपने से अलग किया? उनसे कल मेरी बात हुई थी। वे मुझे मना तो नहीं कर रहे थे लेकिन आप लोगों की बातों से अवगत होकर जब मैंने उनसे कहा कि इस समय ऐसे सारे लोगों को एकत्र होकर देवप्रकाश की सहायता करनी चाहिए जो अपने को प्रगतिशील कहते हैं क्योंकि देवप्रकाश कथा-वार्ता के विरुद्ध कदम उठाकर सारे पोंगा-पंथियों की चुनौती स्वीकार

कर रहे हैं। तो जानते हैं कि आपके प्रगतिशील भाई ने क्या कहा? कहा, 'सो तो ठीक है शंकर जी, लेकिन अभी चार दिन बाद मेरे घर पर भी एक भोज है। यदि मैंने देवप्रकाश के घर खाना खा लिया तो गाँव के लोग मेरा बहिष्कार कर देंगे। फिर भी मुझे तो एतराज नहीं है लेकिन घरवाले नहीं मानेंगे।' अब बताइए कहाँ गया सिद्धांत? कहाँ गया धर्म-कर्म? मैं ऐसे प्रगतिशील के मुँह पर थूककर चला आया था। भाई, या तो बात करो सिद्धांत की या फिर व्यवहार की। कम्युनिस्ट पार्टी के दोस्तों के बीच तुम निरीश्वरवादी बन जाओ और गाँव में आकर अपने पट्टीदार से कथा-वार्ता सुनने का आग्रह करने लगो। वाह, भई वाह!''

''हे शंकर, देखो बहुत बतकही मत छाँटो। मेरे ही गोद के खिलाए हुए हो, मुझी से पद पुरान करने लगे। अरे संबंधी मैं हूँ या देवप्रकाश? जो मैं कहता हूँ वह करो।'' शिवलाल ने अपनी रिश्तेदारी के अधिकार का प्रयोग करते हुए कहा।

धर्मेन्द्र और शामदेव (जो अब तक पाजावा[1] के नेवले की तरह टुकुर-टुकुर ताक रहे थे) ने भी शिवलाल की हाँ में हाँ मिलाई।

''भाई, साहब,'' शंकर अप्रभावित-सा बोला, ''मेरा फैसला और शायद गाँव वालों का भी फैसला यही है कि हम लोग देवप्रकाश के यहाँ खाना खाने जायेंगे। आप से अधिक बहस नहीं करता क्योंकि आप तर्क की भाषा नहीं समझते।''

शिवलाल लाल-पीले होकर उठ गए थे, ''तो ठीक है, हम भी देख लेंगे।'' शंकर मुस्कराता हुआ-सा अपनी जगह पर बैठा रहा।

उस दिन देवप्रकाश के यहाँ शंकर के गाँव वाले खाना खाने आए और शिवलाल, शामदेव तथा धर्मेन्द्र के दरवाज़ों पर पान की पीक थूकते चले गए।

देवप्रकाश सोचते हैं—अब ये ही हमारे पट्टीदार ठहरे। पट्टीदारी अब कुछ नहीं है। अब साहचर्य ही सब कुछ है। खून का रिश्ता पानी हो रहा है और पानी का रिश्ता खून बन रहा है। गाँव में ऐसा कोई नहीं निकला जो इस भयानक षड्यंत्र में हमारा साथ दे सके, ले-देकर दो-तीन आदमी साथ आए और वे भी दूर के पट्टीदार हैं। पट्टीदार कम साथी अधिक हैं—जैराम, बनारसी और...

कल मोतीलाल के यहाँ भाई के तिलक का भोज था। मोतीलाल ने नारायणपुर के दुबे लोगों को बुलाया तो धर्मेन्द्र मास्टर चुपके से लोटा उठाकर चले गए और शिवलाल तथा शामदेव को सुनाते गए, ''बेधर्मियों के साथ खाना खाएँगे?'' शामदेव ने कहा, ''अरे मर्दवा, तो इतना जल्दिया क्यों गए थे? हम लोगों के साथ दूसरी पंगत में चले होते।'' शिवलाल धीरे-धीरे मोतीलाल के यहाँ पहले ही पहुँच गए थे। तब मोतीलाल नारायणपुर वालों को जलपान करा रहे थे। शिवलाल से भी कहा, ''आइए, भाई साहब, जलपान कर लीजिए।''

---

1. ईंट का भट्ठा।

"मैं तो गाँव का हूँ भाई, इन पतिहा लोगों को कराओ जलपान।"

"अरे भाई मोतीलाल, बात यह है कि सारे लोटे-गिलास तो हम लोगों के छूने से अपवित्र हो गए हैं। शिवलाल भाई पानी किसमें पिएँगे? एक लोटा-गिलास आग में तपाइए, फिर गंगाजल से धोकर पवित्र कीजिए, तब शिवलाल भाई पानी पिएँगे।" शंकर ने कहा। नारायणपुर वाले हँसने लगे और शिवलाल चुपचाप उठकर अपने दरवाज़े पर आ गए। जब धर्मेन्द्र वहाँ से लोटा लिए लौटा तो शिवलाल ने उसे बिठा लिया।

"मोतीलाल ने अच्छा काम नहीं किया नारायणपुर वालों को बुलाकर। जब वे लोग देवप्रकाश के यहाँ खाकर विधर्मी बन गए थ तब उन्हे अपने यहां बुलाने की क्या जरूरत थी?" धर्मेन्द्र ने कहा।

शिवलाल चुप रहे। वे कुछ भी कहना नहीं चाहते थे क्योंकि उनके लिए विकट समस्या थी। शंकर उनके सम्बन्ध में आता था। उनके यहाँ कोई यज्ञ-भोज पड़ेगा तो क्या वे शंकर और उसके गाँव वालों को नहीं बुलाएँगे। वे इसी बात पर सोच रहे थे। लेकिन यह समस्या तो अगले बरस आएगी। लेकिन नहीं, समस्या तो पग-पग पर आ रही है। आज ही आ गयी थी। अभी चुप ही रहना ठीक है। उसने धर्मेन्द्र को समझाया, "भाई, इस माने में जल्दी नहीं करनी चाहिए। धीरे-धीरे देखो क्या होता है?" धर्मेन्द्र कुछ समझा नहीं, केवल ताकता रहा। और यह कहता हुआ चल पड़ा कि जाने लगिएगा तो बुला लीजिएगा। और हाँ मोतीलाल से कह तो दिया है न कि बनारसी, जैराम आदि को आखिरी पंगत में उठाएँगे।

"हाँ-हाँ, उसकी व्यवस्था हो गयी है, चिंता न करो।"

और सबके खाने-पीने के बाद इन दोनों को बुलाया गया। ये दोनों जब वहाँ पहुँचे तो देखा कि पट्टीदारों में से कोई भी नहीं है, केवल पौनी-प्रजा की भीड़ लगी है। दोनों ने ही आँखों-आँखों में बात की और एकाएक उठ खड़े हुए और वहाँ से चल पड़े। मोतीलाल दौड़े हुए आए—"क्यों भाई क्यों, आप लोग जा रहे हैं?" दोनों चुप रहे। फिर जैराम पौनी-प्रजा की ओर संकेत करते हुए बोले—"नेताजी, यह जो आपके भाई-बंधु इकट्ठे हुए हैं इनके बीच बैठकर आप मज़े में खाइए। आपको खलल न पड़े इसलिए हम जा रहे हैं।" और वे चले गए। "देखो, दुनिया को क्या हो गया है?" बनारसी ने कहा, "अब मोतीलाल भी हम लोगों को अछूत मानने लगे हैं। खुद क्या-क्या नहीं करते हैं?"

"मोतीलाल का दोष नहीं, भाई! आखिर उसे रहना तो इसी गाँव में है और यह गाँव जिस आदमी को अछूत मान लेगा उसे मानना ही पड़ेगा। उसे गाँव ने अब तक अछूत नहीं माना वह इसी का शुक्र मना रहा है। बात धर्म की हो तब तो, बात तो शक्ति की है, राजनीति की है।" जैराम ने समझाते हुए कहा।

बनारसी ने हामी भरी और एक बहुत कटु स्वर में कहा, "देखा जाएगा।"

देवप्रकाश ने यह सब सुना और गाँव वालों के नाम पर मन-मन भर की गालियाँ

थूक दीं। साथ ही शंकर और गाँव के इन दो-तीन व्यक्तियों के प्रति कृतज्ञता से भर आए कि बिना उसके कहे ये लोग उसके लिए, बल्कि सच्चाई के लिए लड़ रहे हैं।

किसी को कल्पना नहीं थी कि एक बात को लेकर गाँव में इतना बड़ा तूफान आ जाएगा। लेकिन जब आ ही गया तो लोग चुपचाप झेलने लगे।

देवप्रकाश का लड़का रवीन्द्र मैट्रिक पास करके आगे नहीं बढ़ सका। वह तबीयत से ज़रा मनचला था और शरीर से काफी मजबूत। वह उस घटना के दिन से ही लाठी लेकर पँहड़ रहा था कि बाबूजी हुक्म दें तो किसी एक से निबट लिया जाए। लेकिन देवप्रकाश जानते थे कि एक को पीटने से समस्या हल नहीं होगी, एक दूसरे से गुँथा हुआ है। एक बड़ी शक्ति उसके विरुद्ध सक्रिय है। इसलिए वे रवीन्द्र के कहने के बाद यही कहते रहे कि अभी चुप रहो, आगे देखा जाएगा।

रवीन्द्र एक बात और कहना चाहता था लेकिन जानता था वह बात कहने में खैर नहीं है। लेकिन आज सोचा कि बात किसी तरह फेंक देनी चाहिए। रिमझिम पानी बरस रहा था, धीरे-धीरे तिजहर ढल रही थी। देवप्रकाश खेत से लौटकर आग में चना भुटका कर खा रहे थे, उनके पास अवतार और रवीन्द्र भी बैठे हुए थे।

"बाबू जी, एक बात कहूँ?" रवीन्द्र ने कहा।

देवप्रकाश ने अपना बड़ा-सा चेहरा उसके चेहरे पर बिछाकर मौन-भाव से मानो कहा—कहो।

"बात यह है, बाबूजी, कि धर्मेन्द्र की बहन लीला है न! आजकल उसका भी इश्क चल रहा है।"

"किससे?...तुमसे...?" भारी आवाज़ में देवप्रकाश ने कहा। रवीन्द्र पर मानो वज्र गिर गया और हकलाने लगा, "नहीं...नहीं...बाबूजी, मैं इतना गिरा हुआ नहीं हूँ। अरे, वह अहिरौली का रमदौना अहिर है न, उसी से।"

"यह तो बहुत अच्छी बात है। तारीफ तब है जब इन सबों के घरों की सारी बहू-बेटियाँ आशनाई करती पकड़ी जाएँ और उन्हें चौराहे पर खड़ा कर सकूँ।"

रवीन्द्र को बड़ा ताज्जुब हुआ यह सुनकर। आज उसके बाबूजी को क्या हो गया है? गाँव की बहू-बेटी की बदचलनी सुनकर पहले तो आगबबूला हो उठते थे और ऐसा लगता था जैसे कुकर्म करने वाले आदमी को चीरकर रख देंगे।

"तो तुम जानते हो नजदीक से इस केस को?"

"हाँ जानता हूँ, अभी कुछ देर बाद हम दोनों मिलेंगे।"

देवप्रकाश ने एक रहस्यमयी दृष्टि से रवीन्द्र को देखा। वह सहम गया।

"देखो, षड्यन्त्र करके उस अहीर के साथ इस लौंडिया को भगा सकते हो?" यह कहते-कहते देवप्रकाश अपने को एकाएक बहुत छोटा अनुभव करने लगे।

हुलास के साथ रवीन्द्र बोला, "दोनों पागल हैं और भागने के लिए तुले हुए हैं, मैं उन्हें और उकसा दूँगा। और मेरे पास कुछ चिट्ठियाँ रखी हैं उनकी, उनका इस्तेमाल कभी किया जा सकता है।"

रवीन्द्र धीरे से उठकर खेत की ओर जाने लगा तो देवप्रकाश ने अवतार से कहा—"अब इसकी भी शादी कर देनी चाहिए।" रवीन्द्र ने सुन लिया और समझ गया कि बाबूजी ने दूर तक भाँप लिया है। लीला की कितनी चिट्ठियाँ उसके पास हैं। उसे जिस दिन रमदौना से मिलना होता है चिट्ठी लिखकर बुला लेती है। वह चिट्ठी उसी को देती है। अहिरौली में उसके खेत हैं। वह लगभग रोज़ ही जाता है उस गाँव में। रमदौना कुछ दूर के एक स्कूल में मैट्रिक में पढ़ रहा है। गाँव पास-पास हैं और दोनों के सिवान मिले हुए हैं। सिवान के पास सटे-सटे खेत हैं धर्मेन्द्र और रामदौन के। रविवार को तो रामदौन बहाना बना-बनाकर अपने मक्के के खेत में ही रहता है और लीला भी मक्का रखाने जाती रहती है। लेकिन स्कूल के दिनों में जब लीला से नहीं रहा जाता तो उसके पास चली आती है और बड़े प्रेम से एक चिट्ठी थमाकर रहस्यमय ढंग से मुस्कराती है। वह समझ जाता है। चिट्ठी रामदौन को न देकर केवल उससे संदेशा कह देता है, कभी-कभी दे भी देता है। उसके पास लीला की कितनी चिट्ठियाँ रखी हुई हैं। जिस दिन वह उन्हें भरी सभा में पेश करेगा उस दिन धर्मेन्द्र साले की सारी पतिहई भूल जाएगी और आँखें उलट जाएँगी। लेकिन अभी नहीं, अभी कह देने से उसका काम बिगड़ जाएगा और सोचते-सोचते उसकी नसें उत्तेजना से तन गयीं और वह तेज़ी से लीला के खेत की ओर बढ़ चला। गाँव के पास से ही मक्के की फसल शुरू होती थी। हाँ, इस साल सारे गाँव ने इसी ओर मक्का बोया है। बहुत ज़ोरदार मक्का है इस वर्ष। पुरुषों लम्बी मक्के की फसल—इसमें तो हाथी छिप जाएँ, पता न लगे। कई खेतों के बाद यानी काफी सघन जंगल के बाद लीला का खेत पड़ता है। वह वहाँ धीरे-धीरे पहुँच गया। आहट पाते ही लीला ने अपनी मचान पर से पूछा—'कौन है?'

"यह तो मैं हूँ" रवीन्द्र ने चारों ओर देखते हुए कहा।

"अरे भइया तू?"

फिर वह मचान के नीचे कूद आयी।

"चिट्ठी दे दी थी उसे?" उसने चारों ओर देखते हुए कहा।

"नहीं, मैं गया था तो वह मिला ही नहीं, चिट्ठी उसके घरवालों को तो देता नहीं।"

"हाँ यह तो है," लीला ने बहुत निराश भाव से कहा। और वह पुनः मचान पर चढ़ने लगी।

"अरे मचान पर क्यों चढ़ रही है, घर नहीं चलेगी, शाम हो रही है। अब तो घर से कोई आता ही होगा।"

"नहीं, अभी कोई नहीं आएगा। भइया तो शाम को लौटते हैं स्कूल से और मैं अकेली नहीं हूँ, मेरे साथ मेरा छोटा भाई भी तो है।"

रवीन्द्र ने आश्चर्य से चारों ओर देखा, कहीं कोई दिखाई नहीं पड़ा।

"उसे मैंने एक सौदा खरीदने कस्बे भेज दिया है, घंटाभर बाद आएगा।"

"अच्छा, तो तूने सब इन्तजाम कर लिया था। लेकिन जिसके लिए यह इन्तजाम किया वही नहीं आया।"

"उहँ, नहीं आया तो क्या करूँ?"

कुछ देर बाद रमदौना के न आने की उसकी परेशानी खतम हो गयी। वह धीरे-धीरे जाकर मचान पर बैठ गयी और सोचने लगी कि उसका भाई लौटने में कितनी देर कर रहा है। रवीन्द्र वहाँ से धीरे-धीरे अपने खेत की ओर खिसक गया। सूअर धर्मेन्द्र पतिहा बनता है, दूसरे की आँख की फुल्ली उसे ज़रूर दिखाई पड़ती है अपना ढेढ़र नहीं दिखाई पड़ता। उसे बेइज्जत करके छोड़ूँगा।

वह देर तक सिवान पर के अपने खेतों में घूमता रहा। जब अँधेरा गहराने लगा तब हरिजन टोला से होकर घर लौटने लगा। हरिजन टोला के पास ही शिवलाल का एक बड़ा-सा चक पड़ता है। गाँव वालों ने सामूहिक रूप से मक्का बोया था गाँव के पूरब की ओर लेकिन अकेले शिवलाल ने गाँव के पच्छिम अपने इस बड़े से चक में मक्का और कुछ धान भी बोया है। उधर से आते हुए उसने देखा कि शिवलाल हरिजन टोला के बाहर होकर अपने खेत में जा रहे थे। वह थोड़ा आगे बढ़ा तो देखा कोई स्त्री उनके खेत में दूसरी ओर से प्रवेश कर रही है। होगी कोई हरिजन स्त्री—दिशा-मैदान होने जा रही होगी।

वह हरिजन टोला के भीतर घुसा तो देखा कि औरतों का एक खासा मजमा कोलाहल कर रहा है। वह थोड़ा ठहर गया तो मालूम पड़ा कि शिवलाल के बेटे रामलाल ने घुरपतरी के बेटे को मारा है। घुरपतरी का बेटा मुरतिया नाद भरने के लिए कुएँ पर चढ़ गया। उसने देखा नहीं कि रामलाल भी पानी भर रहे हैं। बस इसी पर रामलाल ने कई झापड़ रसीद कर दिए मुरतिया को। वह रोता हुआ अपने मालिक मोतीलाल के पास गया। मोतीलाल शहर में हरिजनों की सभा में गए हुए हैं। मुरतिया रोता हुआ घर आया तो उसकी माँ ने गुस्से में कहना शुरू किया, "बड़े पतिहा बने फिरते हैं—बाप से नहीं पूछते कि कोई हरवाहिन[1] बची हुई नहीं है जिसके मुँह में मुँह न मारा हो।"

मुरतिया के घर के पास शिवलाल के हलवाहे पतराम का भी घर है। उसकी औरत ने यह चोट अपने ऊपर समझी। फिर क्या था, कौआरोर मचा। मुरतिया की माँ ने चिल्ला-चिल्लाकर कहा—"हाँ, हाँ, ठीक तो कहती हूँ—बियाहल[2] जवान बेटी

---

1. हलवाहे की पत्नी।
2. ब्याही हुई।

घर में तू क्यों रखे हुए है—उसका और शिवलाल बाबा का खेला कौन नहीं जानता?" फिर दोनों ओर की औरतों ने भी जो विविध प्रकार के यौन-संकेतों से एक दूसरे की बखिया उधेड़ी वह अद्‌भुत थी। रवीन्द्र देख-देख कर मुस्कराता रहा। उसे बड़ा रस आ रहा था। एकाएक उसके दिमाग में कौंधा कि अभी शिवलाल के खेत में जो औरत गयी है वह उसके हलवाहे की बेटी चेनइया ही है। उसकी इच्छा हुई कि शिवलाल के खेत में लौट चले और उन दोनों को पकड़े। नहीं, लेकिन यह ठीक नहीं है, रात को किसी के खेत में जाना ठीक नहीं है—वह हल्ला करने लगे कि मैं उसके खेत में मक्का तोड़ने आया था और क्या पता वे क्या करते हों! और कौन नहीं जानता कि वह हरिजन स्त्रियों की फुफती खींचता घूमता है। रंडुआ है न, यह सब नहीं करेगा तो क्या करेगा? लेकिन वह पतिहा बना घूमता है और मेरे घर के खिलाफ पतिहई का आन्दोलन चला रहा है। हाँ, सब पतिहा ही तो हैं—मेरे चाचा जी की तरह सब बेवकूफ थोड़े ही हैं कि घाट[1] करते पकड़े जाएँगे, वह भी औरत के घर में।... जब तक पकड़े नहीं जाते तब तक तो सभी मूँछ पर ताव देते घूमेंगे ही। वह पकड़ेगा किसी को एक दिन। और वह घर लौट आया। देखा जैराम बाबूजी के पास बैठे हुए बातें कर रहे हैं।

मोतीलाल जब हरिजन सभा से लौटे तो जैराम ने उनसे लगाया कि तुम्हारे हलवाहे को रामलाल ने तमाचे मारे हैं पानी भरने के लिए। यह तो बहुत बुरी बात है। मोतीलाल ने बड़ी आज़िजी से कहा—"अरे, जाने दीजिए, थप्पड़ खा गया तो कौन साला मर गया। अब चमार सियार के लिए पट्टीदार से लड़ाई करने जाऊँ। जब गाँव के लोग छूत-छात मानते हैं तो थोड़ा ठहरकर ही पानी भरता मुरतिया, उसे इतनी जल्दी क्या थी? बात यह है कि इन सालों का भी काम में मन लगता नहीं, जल्दी-जल्दी काम करके तार-भाठ[2] करना चाहते हैं।"

"वाह नेताजी, तबीयत प्रसन्न हो गयी आपके विचार सुनकर। वास्तव में कुछ नेताओं की शह पाकर इन चमारों की शेखी बढ़ गयी है और मनमानी करने लगे हैं। आप-जैसे कुछ नेता और पैदा हो जाएँ तो बाभन का फिर उद्धार हो जाए और ये अधम जातियाँ अपनी हकीकत पहचान लें। वाह-वाह! कौन कहता है कि आप हरिजन-उद्धार सभा में गए थे?"

मोतीलाल ने तिलमिलाकर जैराम की ओर देखा। जैराम अपनी आँखों में एक विचित्र हँसी लिए खड़े थे।

"देखिए जैराम जी, आप लोग बुनियादी बातों को नहीं समझते, छोटी-छोटी

---

1. आशनाई, 2. बेगार भाठना।

बातों को महत्त्व देकर उन्हीं में समय जाया करते हैं। सामाजिक ज़िन्दगी बड़ी पेचीदा होती है, उसे सतही और सीधे ढंग से नहीं समझा जा सकता। आप समझते हैं कि मुरतिया की एक छोटी-सी घटना को लेकर शिवलाल, रामलाल से लड़ाई कर देने से हरिजन समस्या हल हो जाएगी। नहीं, यह बुनियादी बात नहीं है।" कहकर मोतीलाल ने नेताओं की-सी अदा से किसी गहरी बात में डूबने का अभिनय किया।

"बिल्कुल ठीक कहा आपने भाई, एक कुएँ पर बामन और हरिजन पानी नहीं भर सकते। यह तो एक चिरंतन ईश्वरी व्यवस्था है। हाँ, बुनियादी बात कोई और होगी, होगी ही, जब आप कह रहे हैं तब? अच्छा चलूँ, आपको भी तो आज अदालत पंचायत में जाना है। आपका मुकदमा है न?"

"हाँ है, तो।"

"सुना है, बेंच में इस बार शिवलालजी भी हैं।" जैराम की आँखों में वही विचित्र मुस्कान फैल गयी।

"कोई भी हो, क्या फर्क पड़ता है?" कहते हुए मोतीलाल वहाँ से खिसक गया।

जैराम हँसते हुए खेतों की ओर निकल गए। बादल छाए हुए थे, ठंडी हवा फसलों को छेड़ती बही जा रही थी और धान के उमड़े हुए हरे-हरे पौधे लहरों के समान एक-दूसरे के ऊपर गिरते-पड़ते झूम रहे थे। कभी-कभी रिमझिम-रिमझिम पानी भी बरस जाता था। जैराम कुछ दूर के एक मिडिल स्कूल में हेडमास्टर थे, उनकी तबीयत कवि की थी और कुछ कविताएँ भी लिखते थे। सामने उमड़े हुए दृश्य को मन में भरते हुए और भीतर ही भीतर कुछ छन्द गुनगुनाते हुए चले जा रहे थे। सामने ताल दिखाई पड़ा ज़ो अब पहले से अधिक छिछला हो गया था। जैराम कुछ बचपन की स्मृतियों में डूब गए—यही ताल है जिसमें उनके सारे हमजोली मुक्तभाव से नहाते थे, खेल खेलते थे। अब पटता जा रहा है...और अब लड़कों को इस ताल से खेलने की फुरसत ही नहीं, शहर से जो आते हैं वे तो साबुन से मल-मलकर कुएँ पर नहाते हैं और जो गाँव के हैं, उन्हें काम-धाम से फुरसत नहीं मिलती। सामने का यह बाग बचपन की कितनी ही स्मृतियाँ सँजोए खड़ा है—खड़ा कहाँ है, टूट-टूटकर ढह रहा है। बगीचा एक खँडहर-सा लग रहा है। हो सकता है लोग अब इसे जोत लें। बाग से लाभ भी क्या था, खामखाह एक सिरदर्द था। उसके फलों को दूसरे लोग खा जाते थे, और नहीं तो उसी की जमीन में लड़के खेलते-खालते थे, बारातें टिकती थीं। यह भी क्या उपयोग हुआ इस ज़मीन का? हाँ, अब इसे कोड़काड़ कर लोग फ़सल उगाएँगे, अब इसका ठोस उपयोग होगा। देखो न, ये सारे चकरोड जोत लिए गए हैं। स्कूल और चरागाह के लिए जो ज़मीन छोड़ी गयी थी, उसे भी यारों ने साफ कर दिया है।

"अबे साला लुटवना, देखता नहीं है? बैलों को खेतों के बीच से ले जाता

है। साले, मार जूतों के कचूमर निकाल दूँगा।''

''अरे बबुआ, मैं तो इन्हें रास्ते से ही ला रहा हूँ, तनिक-सा पाँव पड़ गया है खेत में।'' लुटवना बोला।

जैराम ने देखा...टेरेलिन का पैंट और बुश्शर्ट झाड़े, हैट लगाए, मोजे-सजे बूट पर मन-मनभर का कीचड़ लपेटे बबुआ पारसनाथ चले आ रहे हैं। पारसनाथ शहर में एम.ए. में पढ़ते हैं। शामदेव के सपूत हैं। जैराम के पास से गुज़रे तब उन्हें प्रणाम भी नहीं किया। केवल कनखियों से उन्हें देखा। जैराम अपनी आँखों और मूँछों वाली स्टाइल में हँसते खड़े थे। ''थू'', क्रोध के मारे पारसनाथ ने ज़ोर से थूक दिया।

जैराम ने अपनी उसी मुस्काती अदा में कहा, ''क्या है रे, लुटवना? अरे, देख मौसम बड़ा खराब है, मुँह खोलकर मत चला कर। मुँह में माँछी-वाँछी पड़ जाएगी तो थूकते-थूकते जान निकल जाएगी।''

लुटवना कुछ समझा नहीं। ''हाँ, बबुआ, ई तो है''—कहकर हट्ट-हट्ट बैल हाँकता रहा।

पारसनाथ की इच्छा हुई कि लौटकर लुटवना को पटककर मारे—साला इस दलिद्दर[1] मास्टर की हाँ में हाँ मिला रहा है।

''अरे ए लुटवना, अपने मालिक से जाकर कह दे कि आसमान में एक रास्ता बनवा दें जिस पर से कि बैल और हलवाहे आ-जा सकें—चकरोड थी सो तो शरीफों ने जोत ली।''

''हि-हि-हि-हि...'' लुटवना खिलखिलाकर हँस पड़ा, ''मास्टर साहब, आप बहुत मजाक करते हैं।''

''मज़ाक करता हूँ?'' जैराम ने गम्भीर होकर कहा, ''अरे, हाँ ए ससुर, यह सब मज़ाक ही है न, तुम लोग भी आजकल तीसमारखां बने हुए हो। यही गाली किसी हमारे गरीब पट्टीदार ने दी होती, पट्टीदार ने क्यों खुद तुम्हारे गोसयाँ[2] ने दी होती तो रास्ते में ही झगड़ा कर लेते और कल से गोल बाँधकर उसका हरफार[3] सब बन्द कर देते। लेकिन ज़बरदस्त आदमी चार डंडा मारता है तो उसे भी वरदान मानकर सह लेते हो।''

लुटवना कुछ बोला नहीं, भारी हो आया। घूमकर उसने मार खायी आँखों से जैराम की ओर देखा और बैलों को हाँकता निकल गया। पारसनाथ सब सुनते रहे और मन ही मन भुनभुनाते रहे—''इन साले कीड़े-मकोड़ों को कभी देखूँगा।''

जैराम आगे बढ़े, लुटवना का दर्द उन्हें छू गया। क्या करें ये बेचारे? अरे,

---

1. दरिद्र।
2. मालिक।
3. हल जोतना।

हर साल शामदेव के यहाँ से कर्ज़-पताई लाते हैं, खाते हैं, और दबे हुए हैं। जब गाँव के पट्टीदार शामदेव से दबते हैं और सही बात कहना तो दूर रहा, उसकी गलत बात का साथ देते हैं तो इन छोटी जातियों की कौन कहे?

"अरे, का हो दयाल भइया, कहाँ से आना हो रहा है?" दयाल को देखते ही जैराम ने टोका।

"मार ससुरा को, ई कहाँ मिल गया रास्ते में?" दयाल मन में भुनभुनाया। वह थाने से आ रहा था दरोगा साहब की कचहरी करके। उसे लगा कि जैराम की तेज़ आँखें उसके छिपाने पर भी जान लेंगी कि वह थाने से आ रहा है इसलिए थोड़ा विचलित-सा हो रहा था लेकिन टालने की गरज से कहा, "अरे, कहीं से नहीं, हो भइया। ज़रा उस गाँव तक गया था। एक काम था।"

"हाँ-हाँ, ठीक है, आजकल दरोगा जी यहीं हैं या शहर गए हुए हैं?" जैराम ने पूछा।

"मारा कम्बख्त ने?" दयाल मन में भुनभुनाया और उसने बनावटी गुस्से में कहा, "क्या मैं दरोगा का दलाल हूँ कि उसका हिसाब-किताब रखूँ?"

"भाई, इतना गुस्सा क्यों होते हो? मैं तो आपको दयाल समझता हूँ, दलाल नहीं। अब आप अपने बारे में चाहे जो सोचें। अरे, दरोगा जी से आप मिलते-जुलते रहते हैं। सोचा कि जानते होंगे उनके आने-जाने के बारे में।...वास्तव में मुझे उनसे एक काम था।"

"क्या काम था?"

"अरे है न एक काम, जब आपको उनसे कोई सरोकार ही नहीं है तो क्या कहूँ?"

"फिर भी, आप कहेंगे तो सरोकार बन जाएगा न।"

"नहीं-नहीं, कोई ख़ास बात नहीं। एक आदमी है, उसका एक मामला है। कुछ ले-देकर उसे दबवा देना है।"

"अरे, तो यह कहिए न, आप तो उलट-बाँसी बोलते हैं। यह कौन मुश्किल काम है, हो जाएगा। कौन है वह?"

"अरे नहीं, छोड़ो उस बात को। वह तो हो ही जाएगा।" कहकर जैराम मुस्कराए और आगे बढ़ गए।

दयाल कुछ क्षण तक जाते हुए जैराम को घूरकर देखता रहा, फिर मन में एक भारी-सी गाली दी और अपना प्लास्टिक का बैग हिलाता हुआ चल पड़ा। वह सोचता रहा कि किसका काम आ पड़ा है दरोगा जी से और कौन है जो उसके बिना दरोगा जी तक पहुँचना चाहता है। और जैराम भी अब दरोगा जी तक पहुँचना चाहता है क्या?...नहीं-नहीं मज़ाक किया होगा। वह चलता जा रहा था लेकिन उसके भीतर कुछ गड़ गया था।

जैराम अपने आप हँसते हुए जा रहे थे, उनकी मुखर हँसी भी विचित्र होती है, उनकी मूँछों वाली हँसी की ही तरह। दलाल है...वैसे भी माँ-बाप ने सोचकर ही नाम रखा था, केवल एक अक्षर का फर्क पड़ गया–बस 'ल' की जगह 'य' हो गया था। सो बेटे ने अपने आप ठीक कर लिया। इण्टर में चार साल लोटनिया खाकर अब गाँव के नेता बने हुए हैं दयाल जी। नेता माने दलाल, दलाल माने दयाल और पूरा देश इस अर्थ से भरा हुआ है।

वे सोचते-सोचते मक्का के खेतों की ओर लौट पड़े। आकाश में काले-काले बादल उमड़-घुमड़ कर रहे थे, बगलों की पाँत झुंड-झुंड उड़ जाती थी, दूर नदी का उमड़ा हुआ मटमैला पानी उसी प्रकार आँखों में उभर रहा था, पास के ताल में भैंसें उसी प्रकार मस्त होकर हिरी हुई थीं लेकिन क्या है जो खो गया है, क्या है जिसे उसका अन्तर्मन खोजता फिरता है। जैसे शब्द तो वे ही हैं लेकिन उनका अर्थ कहीं खो गया है। धान के खेतों में मजदूरिनें चुपचाप निराई कर रही थीं। एक ने दूसरी को कोंचा–"अरे, तेरा गला तो बहुत अच्छा है रे, कुछ कजली-वजली गा न।"

"ना रे ना...मैं नहीं गाऊँगी। अब तो न जाने क्यों गाने का मन ही नहीं होता और अगर कभी कुछ गाओ तो मालिक गाली देता है कि अरे हरामजादियो, गाकर काम करने से ध्यान बँटाती हो, चुपचाप मन मारकर काम करो।" और सब मजदूरिनें यह सुनकर चुप हो गईं जैसे उन्हें भी यही महसूस हो रहा था और गाना चाहती हुई भी नहीं गा रही थीं और अपनी इच्छा को अपनी सखी के अच्छे गले के द्वारा बहाने से तृप्त करना चाहती थीं।

चेनइया ने समझा कि उसकी सखियाँ अपनी बात न रह पाने के कारण उदास हो गयी हैं, और उसे मन ही मन घमंडी कह रही हैं तो उसने एक बार गला खँखारा, एक बार छाता लगाए मेंड़ पर खड़े शिवलाल की ओर देखा, फिर कुछ गुनगुनायी और एक स्वर फूट चला–

"रिमझिम-रिमझिम बरसने पनिया
मोर अगिनिया ना सेराय"[1]

इसी पंक्ति को उसने आठ-दस बार गाया तो सखियों ने कोंचा–"अगिनिया-अगिनिया ही करती रहोगी या आगे भी बढ़ोगी!"

"आरे रामा जुलुम करे असरेसवा
सइयाँ छवलें कौने देसवाँ"

और फिर रेकार्ड की घिसी हुई सूई की तरह इसी लाइन पर अटक गई तो गीत दुहराती हुई सखियों ने उसे कोंचा–"आगे बढ़ सखी!"

"नहीं रे, मुझसे नहीं चलता यह गीत।" और वह एकदम चुप हो गयीं। एक

1. ठंडा होना।

अजब सन्नाटा चारों ओर फैल गया और उस सन्नाटे में बभनी[1] की कटी पूँछ की तरह गीत का यह टुकड़ा रेंगता छटपटाता रहा।

सखियाँ भी उदास हो आयीं, जैसे चेनइया का दई उन्हें कहीं डंस गया हो। वे जानती थीं कि चेनइया की शादी हुए कई साल हो गए लेकिन उसका गौना अब तक नहीं हो सका। उसका मरद तो कलकत्ता में नौकरी-चाकरी करता है, इसलिए नहीं आता होगा। यह भी अफवाह है कि वहाँ उसकी किसी से आशनाई हो गयी है इसलिए वहीं रम गया है। कुछ का खयाल है कि चेनइया की माई ही उसे विदा नहीं करती। उसके मरद ने कलकत्ता से ही कई बार दिन भेजा था लेकिन उसकी माँ ने दिन मंजूर नहीं किया। खुद हरजाई है और चाहती है कि उसकी बेटी भी शिवलाल बाबा से रुपये-पैसे उगाहती रहे। और ई शिवललवा मरकीनवना तो जन्म का दोखी है। दिन-दोपहर मचानी पर से चमाइनों की बाँह पकड़कर खींचता है। रँडुआ है न!

शिवलाल छाता लगाए चुपचाप यह सब देखते रहे।

जैराम कुछ देर तक कुछ दूर पर ठिठके रहे, पूरा गीत सुनने के लिए। फिर उदास होकर आगे बढ़ गए। उन्हें लगा कि यह गीत उनके भीतर छटपटाता रहा। कितने दिनों बाद उसने यह कजली का गीत सुना था लेकिन गीत डेढ़ लाइन से आगे नहीं बढ़ सका। लगता है आज का समय उसे खा गया। ये घटाएँ, ये फ़सलें ये हवाएँ, यह नदी—सभी कुछ तो हैं, लेकिन इनके साथ हमारे वे संबंध कहाँ रहे? हमारे भीतर-भीतर जो एक आग जल रही है उसे वे कहाँ बुझा पाते हैं। एक आग, एक अनबुझ प्यास लिए वह कब से घूम रहा है और बार-बार इन मौसमों की ओर देखता है और कहीं कुछ नहीं...लेकिन लोग हैं जिन्हें कुछ व्यापता ही नहीं। नए लोग तो नए, जो लोग उसकी पीढ़ी के हैं या उससे पहले के हैं वे लोग भी अब गीत की प्यास अनुभव नहीं करते। मौसम उनके लिए अन्न उगाने की मशीन से अधिक अब कुछ भी नहीं रहे। वही एक आवारा दिल क्यों है। लेकिन नहीं, वह भी कहाँ! अब वह जैराम, जो लड़कों की टोलियाँ बटोर-बटोरकर उन्हें कसमें दिला-दिलाकर खेल खिलाता था, कजली-होली के गाने गवाता था, और अनेक बातें...अब वह भी कहाँ रहा? वह भी तो स्कूल जाने से पहले मशीन की तरह घर के कामों में जुटा रहता है और वहाँ से छूटता है तो लड़कों द्वारा लाए गए आलू, प्याज, कोहड़ा, लौकी साइकिल के कैरियर पर लाद लेता है और फिर घर आकर जुट जाता है अपने काम-धंधे में। लेकिन फिर भी उसे रह-रहकर महसूस होता है कि उसके भीतर बहुत गहराई में एक आग है, एक प्यास है जो परतों के नीचे अनबुझ भाव से पड़ी है और रह-रहकर लहक उठती है। कभी-कभी इच्छा होती है कि अपने समवयस्कों की टोली बनाकर

---

1. छिपकली की तरह एक मुलायम कीड़ा।

पुराने दिनों की मस्ती में भरकर खेल खेले, लेकिन वह लोगों के चेहरों को पढ़कर स्तब्ध रह जाता है। किसी को भी जैसे अपने काम-धाम से अलग हटकर किसी ओर देखने की फुरसत ही नहीं और फुरसत होगी तो इतनी कि मानो फूटे हुए हौज़ का पानी बह रहा हो, बेरोक-टोक और घंटों शिवलाल या शामदेव के दरवाज़े पर हा-हा-ही-ही-हू-हू होती रहेगी। लेकिन अब इस हा-हा-ही-ही में वह मस्ती, वह निश्छलता कहाँ, उसमें तो स्वार्थ और परनिन्दा का विष भीतर-भीतर खौलता रहता है!

उसकी इच्छा होती है वह नदी के पास चले। अभी तो समय है, नदी कोस भर पर ही तो है और अभी तो चार बजे होंगे। कितना अच्छा लगता है नदी के किनारे बैठकर पुरवा हवा में एक पर एक गिरती, पड़ती, भागती हुई फेनिल लहरों को देखना। कट-कट कर गिरते हुए अरार-धड़ाम-धड़ाम, धाराओं का बजबजाता हुआ शोर, धाराओं में पड़ी हुई चीज़ों का बेतहाशा भागना, कभी-कभी किसी बड़ी-सी डाल का ऊपर उठना-गिरना, किसी नाव का डगमगाते हुए धाराओं से संघर्ष करना, तट की डालों का झुककर पानी में भीगते रहना, ऊपर-ऊपर काले-काले बादलों का लहरा पर लहरा...दूर-दूर तक धान के खेतों का काँपना–और...और...हाँ, कुछ और भी...शायद गाँव की कसमस युवतियों का घाट पर आना...नहाना और भीगे हुए वस्त्रों का तन से चिपकना...और और...

"बाबूजी!"

जैराम ने मुड़कर देखा। उनका लड़का दौड़ता हुआ आ रहा था।

"क्या है, रे?"

लड़का हाँफ रहा था, "मैं कब से खोज रहा हूँ और आप इधर-उधर चक्कर काट रहे हैं!"

जैराम ने अपनी उसी परिचित मुस्कान भरी आँखों से बेटे को देखा–"अरे भाई, बात तो बता, क्या आफ़त आ गयी है?"

"नारायणपुर से शंकर चाचा आए हैं आपसे मिलने।"

"शंकर, कोई काम था?"

"नहीं, कह रहे हैं यों ही मिलने चला आया हूँ।"

"अरे तो उनसे मिलाने के लिए तू इतना दौड़ रहा है। बेवकूफ ही रह गया। अरे, कह दिया होता कहीं गए हैं बस।"

"अरे नहीं, उनके लिए नहीं दौड़ रहा हूँ। वे तो उठकर गाँव में चले गए हैं। अरे, एक भूसे का गहकी[1] आया है। कई खांचा भूसा खरीदने वाला है। कहीं चला न गया हो।"

"अच्छा तो यह बात है।" कहकर जैराम जल्दी-जल्दी घर को चल पड़े और

1. ग्राहक।

भीतर उठती हुई नदी कहीं सो गयी। और रास्ते में उमड़ी हुई फसल की कोई गंध उन्हें छू नहीं सकी।

भादों की रात की भीगी गहनता चारों ओर फैली हुई थी। शिवलाल के यहाँ हरिवंश पुराण हो रहा था। उसके बेटे रामलाल की शादी हुए कितने साल हो गए लेकिन संतान का नामोनिशान नहीं। शिवलाल ने सोचा कि बरसात में खेती के काम-काज से फुरसत है सो हरिवंश पुराण ही हो जाए। कथा समाप्त हो गयी थी, अब कीर्तन हो रहा था। धर्मेन्द्र मास्टर और दयाल दोनों कीर्तन मंडली के सरदार हैं। वे दोनों ही अभी तक नहीं आए थे। दोनों को देखने आदमी गए और दोनों ही घर पर नहीं मिले। मंडली के शेष लोग ढोलक-झाल लेकर कीर्तन धुनने लगे—

कि मेरा तन डोले हो मन डोले हो
मेरे मन का गया करार हो
कौन बजावे बाँसुरिया
कि आ रे किसुना
कौन बजावे बाँसुरिया

फिल्मी गीत को 'आ रे किसुना' से जोड़कर किस बुद्धिमानी से भजन बना लिया गया है। सुन-सुनकर देवप्रकाश अपने दरवाजे पर हँस रहे थे और मन ही मन इन्हें मन-मन भर की गालियाँ दे रहे थे। शिवलाल जी चले हैं हरिवंश पुराण सुनने। जब जनखा बेटा पैदा किए हो तो उसे संतान कहाँ से होगी?

धीरे-धीरे सुरती मलते जैराम मास्टर आ गए। हाथ से सुरती ठोंकते हुए बोले, "कहो देव चाचा, प्रसाद लेने नहीं चलेंगे, बुलावा तो आया होगा।"

"अरे, इस नीच के यहाँ प्रसाद लेने जाऊँगा?"

जैराम ने सुरती मुँह में डालते हुए कहा, "प्रसाद लेने में क्या हर्ज है चाचा जी, वह तो ईश्वर की चीज़ है। वह तो पवित्र ही होता है।" फिर वह रहस्यमय ढंग से मुस्कराए।

"ईश्वर भी उसके यहाँ आकर प्रसाद बाँटे तो मैं नहीं लूँगा। इसके यहाँ आकर ईश्वर भी अपवित्र हो जाएगा।"

जैराम खिलखिलाए, "मैं तो समझता हूँ प्रसाद में कोई छूत नहीं है।"

"छूत नहीं होती तो हरिजनों के यहाँ का प्रसाद क्यों नहीं खाते हो? क्यों, वहाँ भी लोग ब्राह्मणों से चरणामृत और मोहनभोग बनवाते हैं।"

"हाँ-हाँ, ई बात तो है, चाचाजी। हरिजनों का छुआ चरणामृत अपवित्र हो जाता है।"

"नहीं-नहीं, अपवित्र नहीं होता बल्कि वह तो पवित्र ही रहता है क्योंकि वे

बेचारे सही मन से भगवान की कथा सुनते हैं। अपवित्र तो हम लोग अपने जातीय अभिमान में मान लेते हैं और सचमुच अपवित्र तो शिवलाल जैसे बाभनों का प्रसाद होता है जो भगवान को घूस देने के लिए कथा सुनते हैं। अबे पतित, जब तेरा लड़का हिजड़ा है तो भगवान क्या करेंगे? भगवान कहाँ-कहाँ लड़का पैदा करते चलेंगे, जब पूरा का पूरा समाज हिजड़ों से भरा हुआ है। शिवलाल जैसे आदमी का प्रसाद खाने से आत्मा अपवित्र हो जाती है। लेकिन यह तो मैं अपने लिए कह रहा हूँ, जैराम। तुम जाओ, एक-एक मुट्ठा पंजीरी और मोहनभोग लेकर भकोसो और दीया भर-भरकर चरणामृत सुड़को।''

इस नोक-झोंक से जैराम हुँ-हुँ-हुँ-हुँ हँसने लगे।

'तन डोले हो मन डोले हो।' भजन अपने पूरे जोम पर आ गया था।

''ए चाचा जी, ई तो तन डोले मन डोले हो रहा है।''

''हिजड़े के यहाँ और क्या होगा? अभी आगे देखो और क्या-क्या होता है।''

''लेकिन ए चाचा जी, दोनों कीर्तनहा सरदार नहीं दिखाई पड़ रहे हैं। ई का माजरा है?''

''वे सब अपने-अपने जोगाड़ में होंगे।''

''हाँ-हाँ, ठीक कह रहे हैं। इधर गाँव जुटा है प्रसाद लेने के लिए, उधर वे सब अपना प्रसाद भोग रहे होंगे।''

'तन डोले हो, मेरा मन डोले हो' कीर्तन झमक रहा है।

''का मरदवा मास्टर, पूजा के समय बछिया ही गायब।'' शिवलाल धर्मेन्द्र को डाँट रहे थे।

''देव चाचा, लगता है एक सरदार आ गया।'' हुँ-हुँ-हुँ-हुँ जैराम हँसने लगे।

''आए चाहे...'' देव बुदबुदाकर चुप हो गए।

''अरे काका, क्या बताऊँ, एक मामला आ फँसा था, बस समझिए कि बहुत कोशिश करने पर भी छूट नहीं सका।'' धर्मेन्द्र सफाई दे रहा था।

''मामला नहीं खाक, आज कोई मामला फाँसने का दिन था! आज कहीं गए ही क्यों? आज ही तुम्हारा और दयाल दोनों का ही मामला फँसना था। खूब दिन चुना था तुम लोगों ने मामला फँसाने का!'' शिवलाल डाँट रहे थे।

''क्या दयाल भी नहीं है?''

''देख लो, यही तो तुम लोगों की कारगुजारी है।''

चोरबत्ती चमकी और दयाल भी हाज़िर हो गया।

"लो ये भी आ गए!" शिवलाल का स्वर था।

"अरे क्या बताऊँ, काका..."

"कोई मामला फँस गया था!" वाक्य पूरा किया शिवलाल ने। सभी लोग हँसने लगे और दयाल यह कहकर कीर्तन-मंडली में शामिल हो गया कि अब आप नहीं पतियाएँगे तो क्या करूँ।

"ए चाचा, दोनों आ गए। कहाँ थे दोनों? दोनों एक ही मामले में तो नहीं फँसे थे।" जैराम बोले।

"मैं क्या जानूँ ये पतित कहाँ थे। हाँ, लगता है दोनों मामला गाँठकर आए हैं और सीधे भगवान के दरबार में हाज़िर हुए हैं। अब भगवान अपवित्र नहीं होंगे। धूर्त फरेबी!"

हुँ-हुँ-हुँ-हुँ जैराम हँसने लगे।

"बार-बार मन में मेरे बाँसुरी बजाए।
कोई छैलवा हो, अलबेलवा हो।"

"ए चाचा जी, अब लीजिए छैलवा-अलबेलवा भी आ गया। असली कीर्तन तो अब जहका है। यह मामला लोगों का चमत्कार है।"

"मारो नीचों को, गाँव भरभट्ठ[1] कर दिया है।" कहता हुआ रवीन्द्र हाज़िर हो गया।

"अरे क्या है हो भाई रबिन्दर, किसने गाँव भरभट्ठ कर दिया है।" जैराम ने चिकोटी काटी।

"अरे, ईहे धर्मेन्द्रवा और दयालवा ने हो भइया, और कौन?"

"अरे, ये सब कीर्तन कर गाँव को पवित्र कर रहे हैं—'छैलवा हो, अलबेलवा हो' गा रहे हैं और तुम कह रहे हो कि ये गाँव भरभट्ठ कर रहे हैं। माजरा क्या है?" जैराम ने पलीते में आग लगायी।

"अरे, माजरा पूछते हो भाई साहब, दोनों को ही चेनइया के साथ अभी-अभी देखा है खेत में। दोनों मिलकर आशनाई करते हैं।"

"देखा तो पकड़ा क्यों नहीं कमीनों को!" देव ने कहा।

"अरे पकड़ता क्या? क्या मैं कोई मूर्ख हूँ जो सबको यों ही पकड़ता फिरूँ? उन्हें कोई रंगे हाथ तो पकड़ा नहीं। बस यह देखा कि दोनों बातचीत करते जा रहे थे। उनकी आवाज़ से उन्हें पहचान गया मचान से उतरकर मैं हाजत के लिए गया तो देखा धर्मेन्द्रवा के खेत में से चेनइया निकल रही है। मैंने उसे पकड़कर पूछा।

---

1. अपवित्र।

पहले तो वह इनकार करती रही लेकिन जब उसे पकड़कर लोगों के बीच ले आना चाहा तब उसने धर्मेन्द्र और दयाल के साथ अपने कुकर्म को कबूल कर लिया। इच्छा हुई कि उसे बाँधकर ले चलूँ लेकिन एकाएक मन में आया कि कहीं वहाँ पहुँचकर मुझी को न फाँसने लगे। बड़ी खेलाड़ी है, शिवलाल से मन नहीं भरता तो लौंडों से खेला करने लगी है।''

'कोई छैलवा हो, अलबेलवा हो' अपने पूरे आरोह पर आया हुआ था।

''अरे जैराम, अब जाओ तुम भी, छैलवा-अलबेलवा गाओ और मुट्ठी-भर मोहन भोग लेकर फाँको।''

''हुँ-हुँ-हुँ-हुँ...मुट्ठी-भर? अरे चुटकी-भर मिल जाए तो बहुत है। आप जानते नहीं हैं इसके यहाँ जग्य-भोज में पेट नहीं भरता है। ऐसा चीख-चीखकर सब परोसते हैं कि दो-तीन बार के बाद आदमी को माँगने में शर्म आती है।''

''मार दलिद्दर को! बनता है गाँव का बड़कवा और मुँह बाए रहता है कि किसका पाए, हड़प ले। गरीबों तक की थाली छल-कपट से छीन लेता है और उसका हाथ इतना पापी कि जिस चीज़ को छूकर किसी के लिए दे दे वह चीज़ उसके लिए ज़हर बन जाए। इन सबों का परोसा हुआ खाना खाने से आदमी को हैज़ा हो जाता है। लेकिन तुम जाओ। जाओ, नहीं तो शिवलाल समझेगा कि मैंने तुम्हें जान-बूझकर बैठा लिया है।''

''हुँ-हुँ-हुँ-हुँ...तो जाऊँ? आपकी यही राय है?'' उठते हुए जैराम ने कहा।

''हाँ-हाँ, बिलकुल जाओ, अब प्रसाद बँटने ही वाला है।''

जैराम सुरती ठोंकते चले गए। देव जम्हाई लेकर खाट पर लेट गए।

''का हो मास्टर जैराम?'' शिवलाल कह रहे थे, ''अब समय हो रहा है? अरे, वही कहावत है कि...''

''अरे, छोड़िए कहावत-वोहावत। शिवलाल चाचा, बात यह है कि...''

''अरे, बात-वोत बहुत सुनी है। मैं जानता हूँ कि तुम...''

''अरे भाई लोगो, छैलवा-अलबेलवा सुनकर तो मैं यहाँ आया और आप लोगों ने मेरे आते ही...''

''जैराम भइया चालाक आदमी हैं, प्रसाद के ही समय...''

''आया हूँ, यही न। तो ठीक ही है। आखिर प्रसाद ही तो खास चीज़ है, छैलवा-अलबेलवा तो उसकी तैयारी थी। तैयारी के लिए तो आप ही लोग काफी थे। अरे मेरा क्या? मैं तो निहायत बेकार आदमी हूँ इन अवसरों के लिए।''

''अच्छा-अच्छा, अब अधिक पिड्लि[1] मत छाँटिए। आइए, बैठिए और फिर हो जाए कबीरपंथी भी।''

---

1. व्यंग्य।

"कबीरपंथी!" जैराम ने आश्चर्य से पूछा, "कबीर साहब को क्यों घसीटते हो भाइयो, वे तो जुलाहा थे। राम-राम, यह तुम्हारी धर्म-मंडली अपवित्र हो जाएगी और मुझे कहाँ बैठाओगे, मैं भी तो तुम्हारे लिए कबीर की ही जाति का हो गया हूँ।"

बात बिगड़ती देख शिवलाल ने कहा, "अरे कहाँ का बतंगड़ शुरू हो गया। ए मास्टर धर्मेन्द्र, एक बोल और हो जाय तब प्रसाद बँटे।"

"हाँ-हाँ चाचा, यह बात ठीक है, कुछ होता रहना चाहिए।" जैराम बोले। धर्मेन्द्र मास्टर ने अलाप लेकर हिन्दी की पाठ्य-पुस्तक में संगृहीत कबीर का एक पद छेड़ दिया–

"आरे हो, मोरा हीरा हेरा गइल कचरे में
आरे हो, कोई काबा, कोई कासी ढूँढ़े
कोई पानी कोई पत्थरे में।"

"ए मास्टर धर्मेन्द्र, हरिवंश पुराण में ई काबा-बोबा क्या घुसेड़ रहे हो!" शिवलाल चिल्लाए।

"अच्छा चाचा, अब वह लाइन नहीं दुहराऊँगा।" गाते-गाते धर्मेन्द्र ने कहा।

"नहीं-नहीं, कोई दूसरा भजन गाओ।" शिवलाल फिर चिल्लाये।

जैराम मूँछों में मुस्कराए जा रहे थे। भजन बन्द हो गया और बन्द होते ही फिर धर्मेन्द्र ने शुरू कर दिया–

"मोहे पनघट पै नन्दलाल छेड़ि गयो रे"

नन्दलाल नाम सुनते ही शिवलाल फिर विभोर हो गए और भजन जहकने लगा–

"आरे मोरी नाजुक कलइया मरोरि गयो रे
हाँ, मरोरि गयो रे"

"वाह रे धर्मेन्द्र भाई, क्या चुनकर भजन निकाला है।" कहकर जैराम मुस्कराते हुए झूमने लगे।

शंख बजा, घड़ी-घंट बजने लगे। आरती होने लगी। प्रसाद बँटने लगा। मास्टर धर्मेन्द्र और दयाल प्रसाद बाँट रहे थे। कुछ अछूत लड़के दूर खड़े हो गए थे। धर्मेन्द्र उनकी फैली हुई हथेलियों पर ऊपर से प्रसाद छिछकार रहा था। प्रसाद लेने के रेलपेल में एक हरिजन बालक ने अपना हाथ ज़ोर से ऊपर बढ़ाया तो मास्टर के हाथ से छू गया और उन्होंने तड़ाक से एक तमाचा उसके गाल पर जड़ दिया।

"क्या है? क्या है?" कहते हुए कुछ लोग उधर बढ़ आए। धर्मेन्द्र हाथ का थाल नीचे रखकर गाली देते हुए उसे मारने को बढ़ा तो लोगों ने पकड़ लिया।

"देखो साले चमरिया ने प्रसाद छूकर अपवित्र कर दिया। अब इस प्रसाद का क्या होगा?" धर्मेन्द्र क्रोध से थूक फेंक रहा था जिसके कण लोगों के चेहरों को पवित्र कर रहे थे।

"कौन है हो मास्टर धरमेन्दर, चेनइया का भाई है क्या?" कहकर जैराम ने व्यंग्य-भरी हँसी के साथ धर्मेन्द्र, शिवलाल और दयाल की ओर देखा।

"मैं क्या जानूँ कौन है? चमरौटी भर को पहचानने का मैंने ठीका लिया है क्या?" धर्मेन्द्र क्रोध में रुआँसा होकर बोला। जैराम व्यंग्य से हँसते रहे तो धर्मेन्द्र भीतर ही भीतर तिलमिला उठा और लगा, अब जैराम से गाली-गलौज शुरू कर देगा।

"अरे जो हुआ सो हुआ, अब छोड़ो यह सब। इस प्रसाद को अछूतों में बाँट दो और ब्राह्मणों के लिए दूसरा प्रसाद ले लो।"

लेकिन धर्मेन्द्र जैराम की हँसी बर्दाश्त नहीं कर सका, वह सीधे शिवलाल के बरामदे में से कूदा और अँधेरे में गायब हो गया।

सारे हरिजन बालक सहम गए थे और मार खाया हुआ बच्चा खमिया[1] की आड़ में छिपकर धीरे-धीरे सिसक रहा था।

प्रसाद बँट गया। लोग अपने-अपने घरों को चले गए। भादों की रात भजन-कीर्तन की आवाज़ों को लीलकर गुमसुम हो गयी। झींगुरों और मेढकों की आवाज़ इस गुमसुम भयानकता को रह-रहकर उत्तेजित कर रही थी। कभी-कभी मच्छरों के मारे बैल पूँछ पटपटाते खूँटे पर ही चक्कर लगा लेते थे। रामलाल हरिवंश-कथा का पौष्टिक रस लेकर अपनी बीवी के पास जा चुका था और शिवलाल को बहुत ज़ोर-ज़ोर से मच्छर काट रहे थे। पता नहीं उसे ही मच्छर क्यों इतना काटते हैं! आसपास के मकानों के लोग अपने-अपने दरवाज़ों पर चुपचाप सो रहे थे लेकिन साले ये सारे मच्छर उसी को क्यों नहीं सोने देते हैं। उसे लगता है कि ये मच्छर उसके साथ वर्षों से लगे हुए हैं। जैराम से एक बार कहा था तो बोला था कि 'चाचा जी, आपके खून में गर्मी बहुत है, गर्मी से खून मीठा हो जाता है और मच्छरों को खूब मज़ा मिलता है।'...मसखरा है। एक-एक बात बोलता है, बेहिसाब बोलता है, लेकिन अपने मसखरेपन में भिगोकर न जाने कौन-कौन सा ज़हर उँड़ेल जाता है। कहता है कि उसके खून में गर्मी है...लेकिन लगता है उसने ठीक ही कहा था...उसे भी लगता है कि कभी-कभी उसका खून सनसना रहा है, जैसा कि खौलता हुआ पानी सनसनाता है। सनसनाए नहीं तो क्या हो, चालीस वर्ष की अवस्था में ही रंडुआ हो गया। यह उमर ऐसी होती है कि इधर न उधर। न शादी करते बनती है, न ना करते बनती है। उसके लड़के रामलाल की शादी हो चुकी थी। वह अपनी शादी करता भी तो कैसे? लोगों ने घेरघार तो बहुत की, लेकिन उसे बड़ी शरम आयी...और कितने साल हो गए। खून गरम न हो तो क्या हो? चेनइया कहाँ होगी इस समय। सूता

---

1. खंभा।

पड़ा हुआ है, क्यों न उसके यहाँ चलूँ?...फिर वह हँसा—वही गलती जो अवतार ने की है। नहीं, वह मूर्ख नहीं है। चेनइया जब मेरे खेत या घर आ सकती है तो उसके घर क्यों जाऊँ! अवतरवा गधा है, मेरे फट्ट[1] पर चढ़ ही गया। उस बेचारे का भी क्या दोष? वह भी मेरे ही समान रंडुआ है। रंडुए का दर्द कितना भयानक होता है उसे वह जानता है। लेकिन उसे तो देवप्रकाश से टकराना था। सारे गाँव में वही एक है जो उनके षड्यंत्र में नहीं फँसता और नहीं तो उसे समय-समय पर अपमानित करता रहता है, बड़ा पवित्र बनता है न, कैसा कस दिया। अवतार तो बेचारा भला है, वह तो हम लोगों के साथ आना चाहता है। लेकिन किया क्या जाय, देवप्रकाश को अपमानित करने के लिए उनके घर के किसी न किसी को तो फाँसना ही था...मज़ा आ गया। सारे गाँव को उकसा दिया है हम लोगों ने और उसका जाति-निकाला हो गया है। उफ़, फिर मच्छर साले ने काटा...मुँह परपरा रहा है...देवप्रकाश का स्वाभिमान टूटा नहीं। वह तो सारे गाँव को ललकार कर खड़ा है। वह खुद ही सारे गाँव को अछूत मानता है...और सच पूछो तो सारा गाँव अछूत है ही, कौन बचा है कुकर्म करने से...लेकिन नहीं, उसे ऐसा नहीं सोचना चाहिए, इससे मन कमज़ोर होता है। उसे मन मज़बूत करके शमदेउवा के साथ मिलकर देवप्रकाश को ठीक करना ही होगा।...चलो, सो जाओ। नींद नहीं आयी, उसके खून में चेनइया दौड़ती रही। मुश्किल यह भी है कि उसका दरवाज़ा देवप्रकाश से मिला हुआ है। चेनइया यहाँ आए तो भंडाफोड़ ही हो जाए...लेकिन भादों की इस अँधेरी रात में कौन किसे देखता है—उसे चेनइया से कह देना चाहिए था आने के लिए। उठकर टहलने लगा।

रवीन्द्र पेशाब करने उठा तो देखा शिवलाल टहल रहा है। ज़ोर से खंखारकर थूक दिया और ज़ोर से बोला, "आज मच्छर साले बहुत काट रहे हैं, नींद ही नहीं आ रही है।" फिर वह खाट पर लेट कर देखने लगा कि कोई और मामला तो नहीं है। धीरे-धीरे सो गया। शिवलाल ने मन ही मन रवीन्द्र को गाली दी और खाट पर लेट गया। अँधेरे में डूबा हुआ सामने का बरगद देर तक हरहराता रहा। कोले[2] में से कुछ चट-चट की आवाज़ आयी। वे चौंके—कोई कुछ तोड़ तो नहीं रहा है, कहीं बनरसिया बैल छोड़ने तो नहीं आया है। इच्छा हुई कि उठकर उधर जाए लेकिन डर के मारे हिम्मत नहीं हुई। चट-चट की आवाज़ से उन्हें याद आ गया कि कहीं खेत में कोई मक्का तो नहीं तोड़ रहा है। चलो, इसी बहाने खेत हो आएँ। उसने पुकारा, "बेटी कलावती!" दो-तीन बार की पुकार पर कला ने दरवाज़ा खोला तो शिवलाल ने कहा, मैं ज़रा मक्के के खेत में जा रहा हूँ बेटी, वहाँ कोई बाल न तोड़ रहा हो। भइया को पुकारकर बाहर भेज देना।"

---

1. दाँव।
2. पशुओं के बाँधने की वह जगह जहाँ साग-सब्जी भी उगायी जाती है।

उसने लाठी उठायी, चोरबत्ती जलाई और गोइड़ के खेत की ओर चल पड़ा। पेड़ भयावने लग रहे थे। गाँव से निकलकर कुछ दूर तक गया तो गड़ही के किनारे पहुँचकर भय से सहम गया। रोयें खड़े हो गए। उसे लगा कि दो भूत पानी में लगातार ढेले फेंक रहे हैं—छप्प...छप्प...वह धीरे-धीरे पीछे सरकने लगा और कुछ दूर तक धीरे-धीरे लौटकर सरपट भागने लगा और हाँफते हुए आकर खाट पर लेट गया।

रामलाल अभी जाग रहा था। "क्या है, बाबू?" चौंककर बोला।

"कुछ नहीं, कुछ नहीं" कहकर शिवलाल चुप हो गया।

"लेकिन आप लौट क्यों आए?"

"यों ही, मन नहीं हुआ।"

"तो आप सोइए मैं जाता हूँ," कहकर रामलाल उठा।

"अरे-अरे, मत जाओ, बेटे, गड़ही में दो भूत ढेले फेंक रहे हैं।"

"क-क-क-क...क्या भुभू-भूत ढेले फेंक रहे हैं।" कहकर रामलाल खाट पर सपाकर[1] लेट गया और धीरे-धीरे घर में सरक गया।

रवीन्द्र की नींद टूट गयी थी। उसने सुना तो उसे अचरज हुआ कि गड़ही में भूत ढेले फेंक रहे हैं। वह धीरे से उठा, लाठी सँभाली और गड़ही की ओर चल पड़ा। उसे बहुत दिन से भूत देखने की इच्छा थी। सवेरे रवीन्द्र ने गाँव में यह चर्चा फैला दी कि शिवलाल हरिवंश सुनने के बाद व्याकुल हो गया था—रातभर उसे मच्छर काटते रहे और जब मच्छरों से छुटकारा पाने के लिए रासभूमि मक्के के खेत की ओर चला तो बुरा हो साले दो भूतों का कि उन्होंने उसे खदेड़ दिया और भागता हुआ आकर खाट पर गिर गया और रामलाल डर कर घर में भाग गया।

"भूत...भूत...क्या सचमुच भूतों ने खदेड़ा था?" लोग पूछने लगे।

"अरे नाही हो, डरपोक है न, उसे तो छल से दूसरों का माल-असबाब हड़पने की बहादुरी आती है। रात को आदमी देखकर डर गया था।" और उसने रात का जो किस्सा सुनाया, वह यह था—

"जलेस्सर को तो जानते ही हैं आप लोग, सनकी आदमी है। उसकी शादी-वादी तो हुई नहीं, जिनगी बीत गयी। अब भीतर का जोश कहाँ जाए? बस एक न एक सनक्कड़पन का काम करता रहता है। दोनों भाई कुँवारे और दोनों सनकी। रात को खेत की मचान पर सोया हुआ था कि गड़ही में वन-मुर्गिया बोलने लगी। जलेस्सर को गुस्सा आया और वह वन-मुर्गिया को मन-मन-भर की गाली देता हुआ मचान से नीचे उतर आया और गड़ही[2] में ढेले फेंकने लगा। छप-छप की आवाज़ सुनकर वन-मुर्गिया चुप हो गयी लेकिन ज्यों ही जलेस्सर मचान पर चढ़ा कि वह फिर बोलने

---

1. दुबककर।
2. पोखरी।

लगी। जलेस्सर मचान पर से कूदकर घर आया और अपने छोटे भाई विसेस्सर को गाली देते हुए जगाया कि वहाँ वन-मुर्गिया हरामजादी मेरी जान ले रही है और तू साला यहाँ खर्र-खर्र सो रहा है। फिर दोनों भाइयों ने रात में ही ढेले बटोरकर गड़ही में वन-मुर्गिया को मारना शुरू किया—छपा-छप्प, छप्प-छप्प। जब मैं पहुँचा तो जलेस्सर चिल्ला रहा था—'ले साली वन-मुर्गिया और बोल और बोल!' ढेलों की बौछार में वन-मुर्गिया कहीं सपा गयी थी। कुछ देर बाद जलेस्सर निश्चिंत हो गया और विसेस्सर से कहा, 'जा अब तू घर खर्राटे भर, अब साली वनमुर्गिया की ऐसी की तैसी हो गयी।'

मैं भी पास पहुँच चुका था। मुझे हँसी आ रही थी लेकिन जलेस्सर के गुस्से के मारे बोल नहीं रहा था। जलेस्सर मचान पर आ बैठा और मैं विसेस्सर के साथ घर की ओर मुड़ा ही था कि वन-मुर्गिया फिर बोल उठी और जलेस्सर दरी-चादर लिए हुए मचान पर से कूद पड़ा—'ले रे हरामजादी वन-मुर्गिया, अब तू ही रह, मैं जा रहा हूँ।' शायद उसका पाँव भी छिल गया। वह विसेस्सर का पहुँचा पकड़कर खींचता हुआ घर की ओर चला गया।

यह किस्सा सारे गाँव में बात की बात मैं फैल गया। शिवलाल ने सुना तो जल-भुन गए और मन-ही-मन फैसला किया कि इस लौंडे को कभी सबक सिखाऊँगा, बड़ा अगियाबैताल है।

जैराम ने सुना तो धीरे-धीरे चहलक़दमी करते हुए शिवलाल के दरवाजे तक आए।

''का हो चाचा, तबीयत तो ठीक है न?'' सुना है कुछ भूत-ऊत से पाला पड़ गया था!

शिवलाल को भीतर-भीतर बड़ा गुस्सा आया लेकिन अपनी मुंशी अदा से बोले, ''अरे तुम भी चक्कर में आ गए। लौंडे ये सब उड़ाया करते हैं। तुम तो जानते ही हो कि मैं रात को घर नहीं छोड़ता। और भूत-ऊत तो मैं मानता ही नहीं।''

''हाँ-हाँ, ई बात तो ठीक है। मैं तो परेशान था कि कहीं आपकी तबीयत न खराब हो गयी हो। कुछ दवा-बोवा लेकर आया था। अच्छा चलता हूँ।''

शिवलाल उठकर शामदेव के पास चले गए और जैराम खेतों की ओर।

''अरे का हो मोतीलाल चाचा, अब तुम्हारे समाजवाद में भी भूत-ऊत रहेंगे, इन्हें हटवाइए न।'' मोतीलाल को देखते जैराम ने टिपासा जड़ा।

''बनारसी हटा तो रहे हैं—सुन नहीं रहे हैं, डुग्गी बज रही है।''

''अच्छा-अच्छा, तो यह डुग्गी बनारसी बजा रहे हैं।''

''नहीं, डुग्गी तो गोंड़इत बजा रहा है, खेल रहे हैं बनारसी।''

''हाँ-हाँ, वही बात, लेकिन क्यों खेल रहे हैं?''

"अब क्यों क्या, मैं तो इन सब बातों में यकीन करता नहीं। ये सब बेवकूफ़ियाँ अभी गाँव से गयी नहीं। लोग आज भी पुराने अंधविश्वासों के गुलाम बने हुए हैं। किया क्या जाए?"

"हाँ, किया क्या जाए? जब सभी पढ़े-बेपढ़े लोग अन्धविश्वासों के गुलाम बने हुए हैं तो किया क्या जाए? बस तमाशा देखा जा सकता है। आइए, चलें, तमाशा देखें।"

मोतीलाल 'नहीं-नहीं' करते हुए भी जैराम के साथ खिंचते चले गए।

"देखिए न जैराम जी, बनारसी कितना बड़ा चोर-उचक्का है—लेकिन देवताओं ने इसी के सिर को पवित्र मानकर इसी के पास आना मंजूर कर लिया है। कितने अच्छे देवता लोग हैं, है न।" मोतीलाल बोला।

"अरे नहीं भाई, आखिर उन्हें भी कहीं ठांव तो चाहिए ही। अब आप तो अपना सिर उन्हें देने से रहे। शिवलाल के सिर में भी और बहुत से लालों के सिर में दूसरी इतनी सारी बातें चलती रहती हैं कि देवताओं के लिए वहाँ जगह ही नहीं। लेकिन बनारसी सब कुछ करते हुए भी सिर का एक कोना देवताओं के लिए सुरक्षित रखता है।"

"आप लगे न उलटबाँसी बुझाने!"

जैराम मर्मभरी आँखों से मोतीलाल को देखते हुए हँसते रहे।

बनारसी अभुवा रहा था। उसके सामने जलेस्सर गुमसुम बैठा था और रह-रहकर ज़ो-ज़ोर से हुमकने लगता था।

"ई का माजरा है हो, मोतीलाल चाचा! जलेस्सर को वन-मुर्गिया पकड़े है क्या?" धीरे से जैराम ने मोतीलाल से कहा।

"अरे भई, गाँववालों का नाटक देखते चलो।"

"पेटमड़ुवा[1] है! पेटमड़ुवा है!" बनारसी चिल्लाया।

लोग सावधान हो गए।

जलेस्सर भी नाचने के लिए पंख हिलाते हुए मोर की तरह गिन-गिना उठा।

"वनमुर्गिया बनकर पकड़ा है 'पेटमड़ुवा' ने।" बनारसी और जोश में आकर चीखने लगा।

"वनमुर्गिया! उ-हुँ-हुँ-हुँ" जैराम खिलखिलाए और मोतीलाल भी हँसने लगा।

रवीन्द्र भी वहाँ खड़ा था। विनोद में चिल्लाया, "अरे दादा, वनमुर्गिया बड़ी जानलेवा है।"

"लेकिन पेटमड़ुवा किसके घर का है, डीहराजा?" शामदेव ने हाथ जोड़कर पूछा।

---

1. अवैध गर्भ को पेट माँड़ कर गिरा देते हैं तब वह गर्भस्थ जीव भूत बन जाता है।

"नहीं बताऊँगा, नहीं बताऊँगा! पट्टीदारों में झगड़ा हो जाएगा रे। हट, ही-ही-ही..."

"महाराज, आप देवता हैं। आप पट्टीदारों के झगड़े से डरेंगे तो इन्साफ कैसे होगा?" शामदेव रिरियाये।

"इन्साफ? तू आदमजात देवता को इन्साफ सिखाने आया है रे?" कहकर बनारसी ने भयानक आँखों से लोगों को देखा और जोश में आकर अगियारी की आग को इधर-उधर छींटना शुरू कर दिया। नगाड़ा ज़ोर से बजने लगा।

"नहीं, डीहराजा, हम लोग पापी हैं, आपको क्या इन्साफ सिखाएँगे? अरे राजा, नाम बता देंगे तो उस भूत से छुटकारा पाने का उपाय किया जाएगा न?" शिवलाल ने बात सँभाली। वे मन ही मन वनमुर्गिया से कल बच जाने के लिए खुश हो रहे थे और मन में एक दहशत भी थी कि कल कहीं उधर चले गए होते तो उनकी भी यही हालत हुई होती।

डिम-डिम-डिम...नगाड़ा बज रहा था। बनारसी ने हँसते हुए दया-भरी आँखों से शिवलाल की ओर देखा, जैसे कह रहा हो कि 'ठीक है, ठीक है, तुम्हारी बात कुछ समझ में आती है।'

मोतीलाल ऊब चुका था। जैराम से कहा—"चलिए भाई, यह तमाशा होता रहेगा।" कहकर चलने को हुआ कि बनारसी की आवाज़ ने उसके पाँव में ज़ंजीर डाल दी।

बनारसी अभुवा रहा था, "तो ले, सुन ले, पेटमड़ुवा है पड़ोसी का, पड़ोसी का। विधवा भयहु[1] से भसुर ने कुकरम किया है रे, उसी का नतीजा है रे। उसने बच्चे को उसी गड़ही में गाड़ा है जिसके पास जलेसरा का खेत है रे।" बनारसी ज़ोर-ज़ोर से उठने-गिरने लगा और जलेस्सर टि-टि-टि-टि-टि करके रोने-गाने लगा।

लोगों की दृष्टि मोतीलाल की ओर चली गयी। मोतीलाल का चेहरा क्रोध से लाल हो गया। यह सारी हुलिया उसी की है। वही जलेस्सर का पड़ोसी है, उसी के छोटे भाई की बहू विधवा है। उसने जैराम की ओर देखा। जैराम बस मुस्करा रहे थे।

विसेस्सर भी रोने लगा। जलेस्सर की माँ भी पुक्का फाड़-फाड़कर रोने लगी। मोतीलाल अनेक लोगों की नज़रें झेल रहा था लेकिन जब तक उसका नाम न लिया जाए, किससे टकराए। वह क्रोध में धीरे-धीरे वहाँ से अपने घर की ओर सरक गया और सारे गाँव में हल्ला हो गया कि मोतीलाल के घर का पेटमड़ुवा जलेस्सर को पकड़े हुए है।

मोतीलाल ने शामदेव और शिवलाल दोनों से गुपचुप बात की कि "देखिए,

---

1. छोटे भाई की पत्नी।

बनारसी ने मुझे बदनाम करना चाहा है। यह जलेसरा वनमुर्गिया से डरकर ऐसी-तैसी करा रहा है। और बनरसिया बदला लेने के लिए मेरे घर का भूत साबित कर रहा है। मैं सारी चाल समझता हूँ, लेकिन करूँ क्या? आप लोग साथ दें तो बनारसी की ओझाई ठीक करा दूँ।''

गाँव के दोनों नेताओं ने मोतीलाल की बात चुपचाप सुनी और उदासीन भाव से कहा कि ''भाई, उसने नाम तो लिया नहीं, फिर झगड़ने की क्या जरूरत?''

''नाम! अरे, नाम क्यों नहीं लिया? उसने जो कुछ कहा मेरे घर की ओर इशारा करके कहा और सारे गाँव में मेरे घर की बदनामी हो रही है।''

अंत में मोतीलाल निराश होकर देवप्रकाश के यहाँ चल पड़ा। वह मन ही मन हिसाब लगाने लगा कि शामदेव और शिवलाल भी इस षड्यंत्र में शामिल हैं तभी तो वे बार-बार बनरसिया से नाम बताने को कह रहे थे। वह करे क्या? वह है, उसके बूढ़े पिता हैं, उसका एक छोटा बच्चा है और एक चौदह वर्षीय भाई है। जवान पहलवान भाई मर गया, नहीं तो आज भरी सभा में लाठियों से पीटकर बनारसी की सारी सोखाई ठंडी कर देता।

''देव भाई साहब, देखा आपने गाँव की हरामजदगी को।'' देवप्रकाश के पास पहुँचते हुए मोतीलाल ने कहा।

''आप देखिए, मैं तो बहुत दिनों से देख रहा हूँ।'' देवप्रकाश ने विरक्ति से कहा।

''हाँ, लेकिन इसका कोई उपाय करना पड़ेगा।''

''क्या उपाय कीजिएगा।''

''संगठन।''

''किसका संगठन?''

''नए विचारों के लोगों का।''

''कितने लोग हैं नए विचारों के?''

''कई हैं।''

''आप हैं?'' क्रूर दृष्टि से देखकर देवप्रकाश ने पूछा।

''हाँ, मैं क्यों नहीं हूँ?''

''तो उस दिन आपकी नवीनता और सगंठन कहाँ था जिस दिन सारे गाँव ने मुझे अछूत करार दिया और आप बहाना बनाकर गाँव से भाग खड़े हुए थे।''

''अरे छोड़िए भाई साहब, पिछली बातों को। अब पानी सिर से ऊपर गुज़र गया है, अब कुछ करना पड़ेगा, नहीं तो गाँव के ये गुंडे किसी को रहने नहीं देंगे।''

''आपको जो करना हो कीजिए, मुझे कुछ नहीं करना है।'' कहकर देवप्रकाश उठे और खेतों की ओर चल दिए।

मोतीलाल वहाँ से धीरे-धीरे खिसक गया।

रवीन्द्र कहीं से घर आ रहा था, मोतीलाल से टकरा गया। उसने सहानुभूति से मोतीलाल को चिकोटी काटी—"का हो चाचा, ई बनरसिया ने तो अच्छा नाटक दिखाया। भला बताइए वनमुर्गिया को भूत बताकर आपके घर पर लाँछन लगा दिया। आ जलेसरा का खेला देखो, रातभर वनमुर्गिया मारता रहा और सवेरे-सवेरे सिर पर भूत चढ़वा बैठा।"

'हाँ-हाँ रवीन्द्र, इस गुंडई के लिए क्या किया जाए?'

"किया क्या जाए, मारो बेहूदे को लाठी से। सारे गाँव में हल्ला हो गया है कि आप भयहु के साथ कुकरम करते हैं। भला बताइए, आप जैसे पवित्र आदमी को इस बनरसिया ने पाप में सान दिया। किस-किस का मुँह पकड़िएगा?"

मोतीलाल समझ गया कि रवीन्द्र उसकी तरफ़दारी करने के बहाने उसका मज़ाक उड़ा रहा है। वह एक अजीब बेबसी की चुप्पी साधे कुछ देर खड़ा रहा, फिर घर की ओर चल पड़ा।

घर पहुँचा तो देखा कि जलेस्सर की माँ उसके घर की ओर हाथ उठा-उठाकर सराप रही थी। गालियाँ दे रही थी कि "पापी सब कुकरम करते हैं अपने घर और भूत हाँक देते हैं दूसरों के घर। घर-घर में राँड़ें बैठी हुई हैं और ससुर-भसुर भी नहीं देखती हैं। जब पेट फूलता है तब मँड़वाकर फेंक देती हैं। अरे दइया रे दइया, हमारे जवान बेटे पर भूत हाँक दिया है कुकरमियों ने।"

"चोअप, हरामज़ादी!" ज़लेस्सर जोर से चीखा तो उसकी माँ भय से काँप गयी। उसे लगा कि यह भूत का ही असर है और वह और ज़ोर-ज़ोर से चीखने लगी।

मोतीलाल दरवाज़े पर स्तब्ध भाव से खड़ा होकर कुछ देर सुनता रहा, फिर जब असह्य हो गया तो एक बड़ी भद्दी-सी क्रोधभरी गाली उसके भीतर से उमड़ी, होंठों तक आयी और बाहर नहीं निकल सकी। वह भीतर ही भीतर गुर्राकर अपने को चबाने लगा। वह गाली देना चाहता था, मारपीट भी करना चाहता था। लेकिन वह अकेला था, अपने को चारों ओर के परिवेश में एकदम असहाय पा रहा था। वह पढ़ा-लिखा आदमी, उधर दोनों भाई लठैत, फिर उसके साथ कोई भी नहीं और उन दोनों भाइयों के साथ बनारसी तो आ ही सकता है। पिट जाएगा और हर तरह से उसी की बदनामी होगी।

घर के अन्दर गया तो उसकी पत्नी और भयहु ने इस सारे शोर-शराबे का रहस्य पूछा। उसने सारी घटना बता दी। एकाएक दोनों ही औरतें उत्तेजित हो गयीं और जलेस्सर की माँ से निबटने के लिए उठ खड़ी हुईं। मोतीलाल ने उन्हें डाँटकर चुप कराया और खुद आकर बाहर दरवाज़े पर बैठ गया। उसकी पत्नी पहले तो जलेस्सर की माँ पर गुस्सा हुई किन्तु कुछ देर बाद उसके भीतर एक अलग किस्म

की पीड़ा हूक मारती हुई उभर उठी—'तो मैं जब नइहर जाती हूँ, तो ये भयहु के साथ ई सब खेला करते हैं। इस राँड़ ने मेरे मरद को फाँस रखा है इसीलिए तो ये बार-बार इसका पच्छ[1] लेते हैं और मुझे बार-बार नइहर भेज देते हैं। देवता झूठ थोड़े बोलते हैं। इस राँड़ ने जरूर बच्चा गिरवाया होगा और वह भूत बन गया है। आज जलेस्सर को पकड़े है, कल अपने घर को पकड़ लेगा।' उसने अपनी देवरानी को इस प्रकार घृणाभरी आँखों से देखा कि वह सहम गयी।

मोतीलाल थोड़ी देर बाद अपनी पत्नी से कुछ सलाह लेने भीतर गया तो वह मोतीलाल पर बरस पड़ी। वह दबी-दबी ज़बान से सुनती थी कि घर में यह सब खुसुर-पुसुर होती है, लेकिन आज तो साच्छात देवता ने यह बात उजागर कर दी। मोतीलाल बहुत देर तक पत्नी को समझाता रहा लेकिन वह आज ज़हर उगलने पर उतारू थी। मोतीलाल घबराकर घर से बाहर भाग खड़ा हुआ, लेकिन बाहर भी कहाँ जाए? सारे गाँव में तो बदनामी फैली हुई है। कुछ दूर जाकर लौट आया। उसके मन में बहुत से क्रूर निश्चय आ रहे थे लेकिन कुछ कर नहीं पा रहा था। घर में दोनों औरतें लड़ने लगी थीं। बाहर सारा गाँव उपहास कर रहा था। कहाँ जाए वह? उसने अपने को इतना असहाय कभी अनुभव नहीं किया था। कुछ ही दिनों बाद उसके नवजात शिशु का मूर-पूजन पड़ने वाला है। यदि सारे गाँव ने उसे कुजात निकाल दिया तो? उसने चलते-चलते लोगों को बात करते सुना है कि ऐसे भरभट्ठ घर में भात-भोज खाने कौन जाएगा? क्या देवप्रकाश का भाई की तरह वह भी इन सब को लात मार दे? नहीं, उससे यह नहीं होगा। अकेला आदमी है, उसे सबसे सटकर ही रहना होगा; नहीं तो ये सब मिलकर उसकी खेती-बाड़ी उखाड़-सुखाड़ लेंगे। और वह तो नेता है, उसे चुनावों में लोगों को अपने और अपने दल के पक्ष में करना पड़ता है। यदि वह कुजात निकाल दिया गया तो उसकी बदनामी उससे आगे-आगे चलेगी। कुछ ही समय बाद पंचायत का चुनाव होने वाला है, फिर असेम्बली का। असेम्बली में तो उसे टिकट मिलने से रहा लेकिन सरपंची के लिए जरूर उठेगा। सरपंची का भी रुतबा क्या कम है।

वह क्यों नहीं सबके सामने गरजकर कह देता है कि उस पर लगाए गए लांछन झूठे हैं और जो भी इस तरह की बात उसके बारे में करेगा उसे उसका फल भोगना पड़ेगा।...नहीं, नहीं कह सकता। जब वह हिम्मतपूर्वक अपनी पत्नी का मुँह नहीं थाम सकता तो गाँववालों का क्या थामेगा? उसकी स्मृति में भयहु के साथ के अपने अनेक प्रसंग एक साथ कौंध गए। क्या बुरा करता है? भयहु अगर रांड़ हो जाए—तो क्या ज़िंदगी-भर तरसती रहे? भयहु-भसुर का संबंध सब वाहियात बातें हैं। विज्ञान की दृष्टि से शरीर शरीर है, उसकी अपनी भूख होती है। भूख मिटाना एक शारीरिक

---

1. पक्ष।

आवश्यकता है, उसमें धर्म-कर्म कहाँ आता है। मैं उसकी भूख नहीं मिटाता तो छिपकर कोई और मिटाता...और जब पत्नी मायके चली जाती है तब वह भी बहुत अकेलापन अनुभव करता है...ठीक है, इसमें कोई बुराई नहीं है...फिर वह इसी सिद्धांत को साहस के साथ गाँववालों के सामने स्थापित क्यों नहीं करता! सारे गाँववाले अपनी-अपनी जगह यही तो करते हैं फिर उनके सामने इस कठोर सत्य को स्थापित करने में हर्ज ही क्या है...नहीं, वह नहीं कर पाएगा...नहीं कर पाएगा...तब?

देवप्रकाश ने ललकारकर कहा कि अब देखना है कि भयहु के साथ कुकर्म करने वाले नेता मोतीलाल के यहाँ लोग खाते-पीते हैं कि नहीं। रवीन्द्र गाँवभर की हवा सूँघ आया था और बतला रहा था कि बहुत से लोग धीरे-धीरे कह रहे हैं कि मोतीलाल के बेटे के मूर पूजन[1] के अवसर पर उसके यहाँ भोजन नहीं किया जाएगा। उसके यहाँ पेटमडुवा है।

देवप्रकाश के यहाँ जैराम पहुँच गए। "का हो चाचा, वनमुर्गिया की बोली तो बहुत आफत कर रही है। एक ही साथ वह बहुत-बहुत खेला कर गयी। कामरेड मोतीलाल अब भूत-परेत के पीछे दौड़ रहे हैं।"

"भूत के पीछे दौड़ रहे हैं?" आश्चर्य से देवप्रकाश ने पूछा।

"हाँ-हाँ, भूत के लांछन को स्वीकार करना उसके पीछे भागना ही तो है। बनरसिया ने ऐसी पटकनिया दी है कि वे उठ नहीं पा रहे हैं।"

"और सुनिए!" कहकर जैराम देव के पास खिसक गए और धीरे-धीरे कहने लगे, "मोतीलाल के घर में लड़ाई छिड़ गई है। उसकी औरत और भयहु में झोंटा-झोंटाउल हो रहा है और उसकी पत्नी इस बात पर उतारू है कि पेटमडुवा है तो ओझा से उसे दूर कराना ही पड़ेगा, नहीं तो वह घर के ही आदमी को पकड़ेगा और मोतीलाल भी अब कोई ओझा बुलाने के फिराक में है।...उहुँ...हुँ...हुँ...हुँ...हुँ" जैराम हँसने लगे।

"सचमुच!" कहकर देवप्रकाश एक विचित्र उल्लास से आँखें फाड़कर मुस्कराने लगे।

"तो क्या यह बात सच है?" देवप्रकाश ने पूछा।

"यह लीजिए, सारा गाँव वर्षों से इस बात को जानता है और आप पूछते हैं, सच है।"

"बड़ा पतित है मोतीललवा, भयहु तक को नहीं छोड़ता।"

"अब देखिए, गाँव इस पतिहा के यहाँ खाना खाता है कि नहीं।"

---

1. मूल नक्षत्र में पड़े हुए बच्चे का सवा महीने या छः महीने बाद निकासन होता है।

"गाव?" देव ने किचकिचाकर कहा, "गाँव तो वही करेगा जो शिवललवा और शमदेवउवा कहेंगे। गाँव तो जनखा है, उसके पास अपना विवेक कहाँ है?"

और सचमुच शिवलाल की आकाशवाणी सुनाई पड़ी, यानी इन दोनों को सुनाकर आकाशवाणी की गयी–

"भाई. ई सब तो बदले की भावना से किया गया है।...और यदि इसे सच ही मान लिया जाए तो मोतीलाल ने घर में ही तो किया है, किसी पासिन-चमारिन से नहीं न किया है!"

"सुन लिया तुमने, जैराम!" देवप्रकाश ने क्रोध से कहा।

लेकिन जैराम खिलखिलाए और शिवलाल को सुनाते हुए देव से कहा, "ए चाचा, सचमुच अपने खून में ही सब कुछ शोभा देता है। और सबसे निकट का खून तो अपनी बेटी होती है। कल उसके साथ घाट करने वाले की इस गाँव में और भी तारीफ होगी।"

"होगी ही। और देख लेना, कुछ दिन में वह भी सच होकर रहेगा..." देवप्रकाश बोले।

"लेकिन ए जैराम, यह सब कैसे हो गया? मैंने तो सुना था कि शिवलाल और शामदेव दोनों ने ही मोतीलाल को टका-सा जवाब दे दिया था।"

"इसके दो कारण हैं, बाबू जी!" रवीन्द्र हाज़िर होकर बोल उठा था, "एक तो यह कि इन दोनों को मालूम हो गया कि गाँव के बहुत से लोग मोतीलाल का बायकाट करना चाहते हैं। उन्हें यह जानकर दुख हुआ कि इस बायकाट से आप और आपके साथी बहुत संतुष्ट होंगे और मोतीलाल भी आपसे मिल जाएगा। दूसरा यह कि शुरू में यह जानते हुए भी मोतीलाल को थोड़ा झटका दे-देकर अपनी ओर खींचना चाहते थे। और जब मोतीलाल चारों ओर से निराश हो गया तब कल रात को जाकर इन दोनों सरदारों के सामने माथा नवा दिया।"

"कहानी गढ़ने में भी रवीन्द्र भाई का जोड़ नहीं है।" जैराम ने थोड़ा खींचा।

"कहानी कह रहा हूँ भाई साहब, खुद लीला मुझसे कह रही थी।"

"हाँ-हाँ, तब ठीक होगा।" जैराम मुस्कराए।

"देखा इस नेता को? हम लोगों से मिलेगा तो दोनों सरदारों की ढेर-सी शिकायत करेगा और छिप-छिपकर इनका चरण चूमता रहता है। वामपंथी बनता है न, सारे ढकोसलों का विरोध करता है न।"

"विरोध? और यह भी तय हुआ है कि यह जाकर गंगा नहायेगा और बेटे के निकासन के समय सत्यनारायण की कथा सुनेगा और रातों-रात कोई ओझा आएगा जो पेटमडुवा शांत करेगा।" रवीन्द्र ने कहा।

"आओ, भइया जलेस्सर।" जलेस्सर को आते देख देवप्रकाश ने कहा।

जलेस्सर लम्बे-चौड़े काले रंग के आदमी हैं। इनके बारे में बहुत-सी कहानियाँ

मशहूर हैं, ये नाक से एक गगरा पानी पी जाते हैं। अपनी माँ को बहुत गालियाँ देते हैं और गुस्से में आकर टाँगी से बटुला-बटुली फोड़ देते हैं और फिर क्रोध ठंडा होने पर उन्हें लादकर आठ मील दूर कस्बे में ले जाते हैं बनवाने के लिए। किसी बारात में गए तो एक छींटा पूड़ी खा गए। जब गाँववालों ने मज़ाक किया कि महाराज, और कोई गुण है कि बस यही! तब जलेस्सर को ताब आ गया और बोले, '...आ जाओ, पंजा लड़ा लो, कुश्ती लड़ लो, बोझा ढो लो, नदी तैर लो, लाठी चला लो, नाक से एक गगरा पानी पी लो, लचारी गा लो, शास्त्रार्थ कर लो...' और फिर जो चुनौती के स्वर में लच्छेदार संस्कृत के श्लोक बोलने लगे तो उसका कोई जोड़ नहीं था।

"बोलो तुम लोग, जवाब दो श्लोक का। है कोई माई का लाल, आ जाए!"

गाँववालों ने अपने पुरोहित को ललकारा कि जवाब दो, महाराज।

पुरोहितजी ने हाथ जोड़ दिए, "महाराज, मेरी समझ में कुछ नहीं आता।"

"हुँ-हुँ, कोदो देकर पढ़ाई की है न!"

बाराती लोग हँसने लगे थे और गाँववाले दुम दबाकर भाग गये थे।

सो जलेस्सर ने आते ही कहा, "देव भाई, मोतीलाल के यहाँ खाना-पीना बंद और..." लेकिन वे और कुछ कहें इससे पहले गाँव के कुछ लड़के इधर उधर से गुजरे और चिल्लाए, "वनमुर्गिया टि टि टि टि टि..."

जलेस्सर ने गुस्से से काँपते हुए लड़कों को खदेड़ लिया लेकिन रवीन्द्र ने पकड़ लिया, "आप भी चाचा, क्या लड़कों के पीछे पड़े हुए हैं।"

देवप्रकाश और जैराम हँसते-हँसते लोट-पोट हो रहे थे

जलेस्सर अभी ठंडा भी नहीं हुए थे कि दूर के एक मकान की आड़ में खड़े होकर लड़के फिर चिल्लाए, "वनमुर्गिया टि टि टि टि..."

"अच्छा-अच्छा, सरऊ लोगन जब वनमुर्गिया गटई[1] चांपेगी तब न मालूम पड़ेगा। तुम लोगों ने खेल समझा है। अरे मोतीललवा, सच तो गाँव की हर गड़ही में वनमुर्गिया बोलेगी।" जलेस्सर बक रहे थे।

"जलेस्सर भाई मोतीलाल को ही क्यों बदनाम कर रहे हैं, गाँव के अनेक लोग तो यही कर रहे हैं और सबके यहाँ जा-जाकर नेकुरा[2] बोर-बोरकर दहीचूरा खा रहे हो। अब क्या पता किसके यहाँ की वनमुर्गिया पकड़े है।" देवप्रकाश ने कहा।

"अरे, मैं घर-घर की वनमुर्गिया का पता लगा रहा हूँ न। लेकिन जलेस्सर भाई को तो मोतीलाल की ही वनमुर्गिया ने पकड़ा है।" कहते हुए बनारसी हाजिर

---

1. गला।
2. नाक।

हो गया था।

"लेकिन लोग तो कह रहे हैं कि मोतीलाल के पिता ने एक ज़मीन के सिलसिले में तुम्हारे खिलाफ गवाही दी थी उसी का तुमने बदला लिया है!" जैराम ने चिकोटी काटी।

"कौन कहता है हो जैराम! बुलाओ तो उसको! अरे, बदला लेना होगा तो दूसरी तरह से बदला लूँगा, बीच में देवता को क्यों सानूँगा! कहीं देवता से मज़ाक किया जाता है। डीहराजा ने जो कहलाया मैंने कह दिया, कोई अपने मन से कहा है।"

"इसका तो फैसला हो जाएगा। सुना है मोतीलाल कोई बड़ा जाबिल सोखा ला रहे हैं।" रवीन्द्र ने उटकेरा।

"अरे, ऊ ब्रह्मा को ले आएँ, जो बात मैंने कह दी है उसे कोई काट नहीं सकता। ले आवें जाबिल सोखा को, उसे भी भरी सभा में ऐसा खेल खेलाऊँगा कि वह भी वनमुर्गिया की बोली बोलने लगेगा!"

बनारसी जोश में आ गया था। उसने जलेस्सर की ओर मुड़कर कहा, "देखते नहीं हैं आप लोग, इनका मुँह ही काला पड़ गया है। पेटमड्डुवा धीरे-धीरे इनका खून सोख रहा है। पूछिए इनसे, इनको कैसा लगता है। इतना बहादुर आदमी, जो अपने आप में भूत है, वन्मुर्गिया बोलने से घबरा जाएगा? अरे, वनमुर्गिया के रूप में भूत था भूत।"

जलेस्सर बैठा-बैठा आविष्ट-सा होने लगा। उसे लगा कि उस पर कोई सवार हो रहा है। उसकी आँखों में एक अजब खोयापन उभरने लगा।

"लेकिन अब इसका इलाज क्या है, बनारसी चाचा, यह बताइए।" जैराम रस लेते हुए बोले।

"इलाज है," सुरती ठोंकते हुए बनारसी बोले, "इलाज यह है कि या तो मोतीलाल के घरवाले पूजा-पाठ कराकर किसी ओझा से पेटमड्डुवा को बँधवाकर सिवान के बाहर छोड़वा आवें या जलेस्सर कहें तो मैं यह भूत मोतीलाल के घर की ओर हाँक दूँ।"

"नहीं भाई, यह ठीक नहीं है कि भूत घूम-फिरकर गाँव में ही रहे। ठीक तो यही होगा कि मोतीलाल किसी ओझा से यह भूत बँधवाकर नदी में छोड़वा दें।" देवप्रकाश ने कहा। उनकी हँसती हुई आँखें कह रही थीं कि वे मोतीलाल के यहाँ ओझा को खेलते हुए देखना चाहते थे।

"हाँ-हाँ, यही बात ठीक है। गाँव के लोग मोतीलाल को बाध्य करें कि वे अपने घर का भूत-प्रेत इस तरह गाँव में छुट्टे साँड़ की तरह न घूमने दें। उसे बँधवावें।" जैराम ने कहा।

"कहो जलेस्सर भाई, तुम्हारा क्या विचार है?" बनारसी ने पूछा।

"अरे, मारो न इन लड़कों को। सब शिवलाल की दीवार की आड़ में खड़े होकर चिढ़ा रहे हैं।" देवप्रकाश ने जलेस्सर को उकसाया।

जलेस्सर ने देखा–लड़के दीवार की आड़ में छिपकर ताक रहे हैं और कुछ संकेत कर मुस्करा रहे हैं।

"ठहरो सरऊ लोग, अभी बताता हूँ!" जलेस्सर बैठे-बैठे चिल्लाया।

"वनमुगिया टि टि टि टि टि..." लड़के चिल्लाए।

जलेस्सर गाली देकर एकाएक उठ खड़ा हुआ और डंडा लेकर लड़कों के पीछे भागना शुरू किया। गली-गली भगदड़ मच गयी। कुत्ते भौंकने लगे। बैल खूँटे पर पगहा तुड़ाने लगे।

देवप्रकाश, जैराम, रवीन्द्र अपनी जगह बैठे हुए हँसी से लोट-पोट हो रहे थे।

"वाह रे बनारसी चाचा! आपने भी खूब लकड़ा लगा दिया है। आपने तो जलेस्सर पर भूत यों छोड़ दिया है जैसे गदहे पर कुंकरोंछी छोड़ते हैं।" जैराम फुसफुसाए।

"अरे नहीं जानते हो मास्टर, ई मोतीलाल बड़ा ओस्ताद बनता था। आ जलेस्सर भी इनका बड़ा पक्ष लेता था। अब देखो दोनों कैसे नाचते हैं!" बनारसी ने बहुत धीरे-धीरे यह बात कही। फिर ज़ोर से शिवलाल और उनके लोगों को सुनाकर कहा, "अभी क्या देखते हो मास्टर, मैं घर-घर के भूत को जानता हूँ और एक दिन भरी सभा में सभी पतिहा लोगों के घरों का पेटमडुवा खेलाऊँगा।"

"टि-टि-टि वनमुर्गिया..." लड़के आगे-आगे भागे जा रहे थे और जलेस्सर की लम्बी काली काया हाँफती हुई दौड़ रही थी।

वही हुआ जो होना था। मोतीलाल के बेटे के निकासन में शामदेव और शिवलाल के इशारे पर गाँववाले खाने के लिए टूट पड़े।

जैराम सुरती ठोंकते देवप्रकाश के यहाँ आए। "हो गयी न गाँव की पतिहई। गाँव दही-चूड़ा पर ऐसा टूटता है जैसे विष्ठा पर माछी।"

"मुझे तो कोई सन्देह था ही नहीं, मैं जानता था कि यही होने वाला है। ये दोनों प्रभु अपने भक्त की लाज जरूर रखेंगे।" दाँत किचकिचाकर देवप्रकाश बोले।

"बनारसी तो कहता था कि मैं किसी को भी जाने नहीं दूँगा। मैं आसपास के गाँवों में भी भूत की बात फैलाऊँगा।"

"वह भी गपोड़िया है। जितना बकता है उतना करता नहीं है।" रवीन्द्र भुनभुनाया।

"नहीं भाई, उसकी योजना ठोस होती है। वह जरूर कुछ सोच रहा होगा।"

जैराम चले गए। देवप्रकाश भी उठकर खेतों की ओर चले गए

क्वार की रात भीगती जा रही थी। मोतीलाल के यहाँ पंगत पर पंगत उठ

रही थी। शिवलाल, धर्मेन्द्र और शामदेव वहाँ जमे हुए थे। गाँव की गायक मंडली धर्मेन्द्र और दयाल के नेतृत्व में रामायण का गान कर रही थी।

रामदौन बगीचे के पास लीला का इन्तज़ार करेगा। आज वह उसे उड़ाकर ले जाने वाला था। रवीन्द्र ने ही सारी योजना तैयार की थी।

लीला सज-धज कर मोतीलाल के यहाँ उत्सव में गयी थी सो वहाँ से आने के बाद भी वही गहने और कपड़े पहने रही। शाम को शिवलाल के घर जाने के बहाने निकली और गायब हो गयी। जब बहुत देर तक वह नहीं लौटी तो उसकी भाभी परेशान हो गयी। वह यह जानती थी कि लीला रवीन्द्र से मिलती-जुलती है। उसे यह भी भनक थी कि उसके संबंध और जगह भी हैं। इस पर छिप-छिप कर लीला को डाँटा भी बहुत था लेकिन धर्मेन्द्र से नहीं कहती थी। उसने पता लगाया तो लीला न शिवलाल के यहाँ मिली, न शामदेव के यहाँ, न मोतीलाल के यहाँ। वह चुपचाप निकली और रवीन्द्र की घारी में जा पहुँची। वह जानती थी कि रवीन्द्र यहीं सोता है।

"रवीन्दर बाबू!"

रवीन्द्र ने उस सन्नाटे में यह नारी-स्वर सुना तो चौंक उठा। वह जाग ही रहा था। देखा, एक स्त्री थोड़ा घूँघट काढ़े उसकी चारपाई के पास खड़ी है। वह थोड़ा घबरा गया। समझा, शायद कोई चुड़ैल है। वह झट से अपनी लाठी उठाकर खड़ा हो गया। चीखा–"कौन है तू?"

"अरे रविन्दर बाबू, ई तो हम हैं लीला की भौजी।"

"अरे भौजी, तू? क्या बात है भौजी?" रवीन्द्र माजरा तो समझ गया लेकिन निहायत अनजान बनते हुए सवाल किया।

"बाबू, लीला घर पर नहीं है। बहुत देर से निकली है, मेरा तो जी धक्क-धक्क कर रहा है।"

"अरे भौजी, कहीं गाँव में ही होगी किसी के यहाँ, शायद मोतीलाल के यहाँ हो।"

"नहीं बाबू, कहीं नहीं है, तुम जरूर जानते होगे उसका पता।"

"मुझे क्या पता भौजी, देख तो रही हो मैं तो सो रहा हूँ।"

"नहीं बाबू, तुम्हें जरूर मालूम होगा। दोहाई बाबू की, अब इज्जत तुम्हारे हाथ में है।"

"नहीं भौजी, मुझे कुछ नहीं पता।"

"बाबू, लड़की की इज्जत तुम्हारे हाथ में है। बताओ, कहाँ गयी?" कहते हुए भौजी रवीन्द्र के पैरों पर गिर पड़ी।

"भौजी, इज्जत तो सबकी होती है। तुम लोग भी इज्जत की बात करती हो? जब मेरी बहन की शादी पर तुम्हारे घर ने अगुवाई करके मेरे घर के साथ सारे गाँव

का भोज-भात छुड़ा दिया तब इज्जत नहीं थी? तुम्हारी इज्जत इज्जत है, हमारी इज्जत इज्जत नहीं!''

''इज्जत सबकी होती है बाबू, लेकिन मरद लोग औरतों का कहा मानते कहाँ हैं। मैंने तो बहुत समझाया लीला के भइया को लेकिन उन्होंने गाली देकर चुप करा दिया। तुम तो जानते हो बाबू कि मुझमें और तुम्हारी माँ में कितना बहनापा है। बेटी कहीं चली जाएगी तो इज्जत तो जाएगी ही, मरद का लात-घूँसा भी मुझे ही सहना पड़ेगा।''

''पाँव छोड़ो, भौजी...मुझे सचमुच कुछ पता नहीं।'' रवीन्द्र भौजी की असहायता का आनन्द उठाता हुआ बोला।

''नहीं, मैं पाँव नहीं छोड़ूँगी जब तक कि तुम लीला को खोज लाने का वचन नहीं दोगे।''

''भौजी, तुम मुझे बहुत संकट में डाल रही हो। अच्छा, पाँव तो छोड़ो। देखता हूँ, अहिरौली का रमदौना उसे भगाने के चक्कर में था।''

''अरे, ई मरकीनवना मेरी बहिनी को भगाने के चक्कर में क्यों है? इस अहिर ने तो हमारा धरम ही भरभष्ट कर दिया।''

''अब चक्कर में क्यों है, सो तो अपनी लीला से ही पूछना, बहरहाल तुम घर चलो, मैं देखता हूँ माजरा क्या है?''

''दोहाई बाबू की, मेरी बहिनी वापस आ जाए और किसी को खबर न हो।''

रवीन्द्र लाठी लेकर चादर ओढ़कर उस अरहर के खेत की ओर निकल गया जहाँ लीला और रामदौन की मुलाकात होने वाली थी। रवीन्द्र ने जान-बूझकर लीला के समय से तीन-चार घंटे बाद का समय रामदौन को दिया था। वह नहीं चाहता था कि लीला सचमुच भगायी जाए लेकिन भगाने का नाटक कर इस परिवार को बदनाम ज़रूर करना चाहता था। वह जानता था कि लीला की भौजी उसकी पूछताछ के लिए उसके पास आ सकती है और शायद उसे लीला की खोज करनी पड़ सकती है। वह जानता था कि लीला अभी तक भगायी नहीं होगी। वह उस सुनसान अरहर के खेत में पहुँचा। सियार 'हुआँ-हुआँ चिल्ला रहे थे। लीला अपने आप में सिमटी हुई चादर के भीतर भी काँप-सी रही थी—कुछ ठंडक से, कुछ डर से।

रवीन्द्र की लाठी बजी तो लीला अचकचाकर खड़ी हो गयी, ''तुम आ गए रामदौन, बहुत देर कर दी। देखो, मैं डर के मारे मरी जा रही हूँ।''

''यह तो मैं हूँ लीला, धीरे से घर सरक चलो, तुम्हारी भौजी को मालूम हो गया है, अभी और लोगों को पता नहीं चल सका है, अभी तो लोग मोतीलाल के यहाँ गाने-बजाने में लगे हैं।''

''लेकिन मरकीनवना रामदौना नहीं आया अब तक?''

''दुनिया बड़ी धोखेबाज़ है लीला, किसी का क्या ठिकाना। चलो, घर चलो।''

"चलो भइया, मुझे तो बहुत डर लग रहा है।"

लीला खिड़की के रास्ते अपने घर में घुस गयी। वहाँ उसकी भौजी खड़ी थी। लीला को देखते ही उस पर टूट पड़ी। रवीन्द्र को पता नहीं चला कि यह टूटना स्नेह से था या क्रोध से। लेकिन उसने लाठी का हूरा जोर से पटककर ज़मीन पर चित्त से थूक दिया—नीच धर्मेन्द्र, इज्जत वाला बना हुआ है!

वह आकर फिर खाट पर लेट गया। देर तक उसे नींद नहीं आयी। वह आत्मग्लानि कर रहा था। एक मौका हाथ लगा था धर्मेन्द्र से बदला लेने का, उसे भी उसने खो दिया। क्यों खो दिया? क्यों वह इतना भावुक हो गया? भौजी हो या भौजी की दादी हो, क्या फर्क पड़ता है? जब वह औरत होकर पाँव छानकर रोने लगी तो क्या करता। वह धर्मेन्दरवा, शमदेउवा और शिवललवा की तरह नीच तो नहीं हो सकता। आखिर गाँव की लड़की है, उसे दूसरे गाँव के अहीर के साथ भागने से बचा लिया तो जाने-अनजाने उसने धर्म ही किया। गाँव की लड़की कहते-कहते उसे हँसी आ गयी। 'धूर्त!' उसने अपने को भीतर ही भीतर एक भारी-सी गाली दी। वह अनजाने ही अपने को धिक्कारने लगा। नहीं, उसने धर्मेन्द्र के साथ जितना किया है, थोड़ा है। जब उसने मेरी बहन को गाँव की बेटी नहीं समझा तो मैं उसकी बहन को अपनी बहन क्यों समझूँ? जहाँ तक होगा उसका धर्म बिगाड़कर रहूँगा। तब...तब आज हाथ में आया हुआ इतना बड़ा दाँव क्यों खींच लिया? क्यों खींच लिया? बहुत देर तक उसके भीतर यह वाक्य हथौड़े की तरह चोट करता रहा और वह मर्माहित होकर नींद के लिए छटपटाता रहा।

एकाएक बैल भड़भड़ाकर खूँटे पर पैंतरे बदलने लगे। रवीन्द्र ने बैलों की आवाज़ सुनकर चेहरे पर से कम्बल हटाया तो देखा—एक विराट् प्रकाश लहरा रहा है। वह हड़बड़ाकर उठ खड़ा हुआ। देखा, शिवलाल के घर की ओर से लाल-लाल लपटें उठती हुई छतों, गड़हियों और खेतों पर लोट रही हैं और पछिया हवा उन्हें हाथ में पकड़े हुए लैंप की तरह पूरे वातावरण में हिला रही है। लोग 'आग-आग' का शोर करते हुए शिवलाल के घर की ओर भागे जा रहे हैं। उसने भी लाठी उठायी, चलने को तैयार हुआ लेकिन तुरंत ध्यान आया कि इस बीच कोई उसके बैल न खोल ले। तब तक देवप्रकाश भी आ गए। "बाबू जी, जरा आप यहीं रहें, मैं भी हो आऊँ।"

रवीन्द्र पहुँचा तो देखा, आग शिवलाल के घर में नहीं बल्कि उसकी घारी में लगी है। बैल पगहा तुड़ा-तुड़ाकर बाहर भाग आए थे लेकिन जब तक लोग पहुँचे, एक बछड़ा पगहा तुड़ा पाने में असमर्थ होने के कारण झुलस चुका था।

कुछ लोग आग बुझा रहे थे, कुछ लोग सुरती ठोंकते हुए मरे हुए बछड़े का वृत्तान्त छेड़े हुए थे, 'बछड़ा खूँटे पर मर गया है, बाप रे बाप, इतनी बड़ी हत्यारी! बछड़े की अल्ले जान चली गयी।'

रवीन्द्र ने उन लोगों से डपटकर कहा—"अरे, इधर आग बढ़ती जा रही है और तुम लोग बछड़े की अल्ले जान लिए बैठे हो। हवा इतनी तेज़ है, जब सारा गाँव जलने लगेगा तब मालूम होगा।" और शर्म से धर्मवृत्तान्ती लोग भी घड़ा ले-लेकर कुएँ पर या गड़ही ही तरफ़ दौड़ने लगे।

आग अब शान्त होने लगी थी। जैराम ने मुस्कराकर रवीन्द्र की ओर देखा, जैसे वह कह रहा हो—मैंने कहा था न कि बनारसी की योजना ठोस होती है।

रवीन्द्र भी समझ गया और हल्के से मुस्कराया।

"का हो जलेस्सर चाचा, अब इस गाँव का विनाश जल्दी ही लिखा हुआ है।" जैराम बोले।

जलेस्सर ने मोतीलाल को सुनाकर कहा—"अरे दोखी आदमी के यहाँ गाँवभर टूटकर खाता है तो और क्या होगा?"

यह बात बहुतों ने सुनी, कुछ लोग मुस्कराए, कुछ तिलमिलाए। धर्मेन्द्र की इच्छा हुई जलेस्सर को दो लाठी पीट दे लेकिन यह उचित अवसर नहीं था। इसलिए एक खामोशी छायी रही। आग हाँफ-हाँफकर बुझ रही थी। शिवलाल की घारी और भूसा जल चुका था। घारी में मकान बनाने की काफी लकड़ी रखी थी, वह भी काफी जल चुकी थी।

"बनारसी नहीं दिखाई पड़े!" धर्मेन्द्र ने छेड़ा।

शिवलाल और शामदेव की आँखों में समान प्रतिक्रिया उठी और बुझ गयी।

"नुकसान तो जो हुआ सो हुआ ही, कितना बड़ा पाप हुआ—बछड़े की जान चली गयी। अब यह हत्यारी किसके सिर जाएगी!" जैराम ने छेड़ा।

"अरे जिसने आग लगायी है उसके सिर जाएगी और किसके सिर जाएगी?" तपाक से धर्मेन्द्र बोला।

"किसने आग लगायी है, आपको पता है?"

"पता क्यों नहीं है, सारा गाँव जानता है कि यह सब काम कौन करता है।" मोतीलाल का स्वर था।

"नहीं, कोई नहीं जानता कौन कब क्या काम कर देगा। पहले गाँव में दो-एक चोर-उचक्के होते थे, अब सारा गाँव हो गया है। पहले दो-एक तरह की बदमाशियाँ होती थीं अब तरह-तरह की होती हैं। इसलिए अब कोई किसी का नाम आसानी से नहीं ले सकता।" जैराम थोड़े तैश में बोले।

मोतीलाल चुप हो गए थे लेकिन जलेस्सर ने बात आगे बढ़ाई—"अरे भाई, आग लगाने वाले तो सामने नहीं हैं लेकिन यह तो सामने है न कि शिवलाल भाई का बछड़ा मरा है।"

शिवलाल गुस्से में आ गए, "आप लोगों को मज़ाक सूझा है, इधर मेरी इतनी सम्पत्ति जलकर खाक हो गयी।"

"यही इस गाँव का दस्तूर है। इतना बड़ा अभागा गाँव न होता तो क्या दलिद्दर[1] होता?"

"अरे भाई, चलो, अपने-अपने घर चलें—अब क्या किचकिच लगाए हो। जो होना था सो हो गया। धरम-करम यहाँ कौन लिए बैठा है, वह तो सुविधा है इस गाँव में। चलो-चलो, जैराम भाई।"

सब लोग धीरे-धीरे बिखरने लगे। जलेस्सर को पकड़कर रवीन्द्र ले चला। तब तक कुछ लड़कों ने जो आग का तमाशा देखने के लिए आ गए थे पीछे से आवाज़ लगायी—वनमुर्गिया टि-टि-टि...

जलेस्सर ने लड़कों के पीछे भागना चाहा तो रवीन्द्र ने उसे कसकर पकड़ लिया।

"अरे, तनी छोड़ो तो रवीन्दर, सारे लड़कों की तनी मरम्मत कर दूँ।"

"अरे, जाने दो मरदवा, तुम भी क्या लड़कों के पीछे पड़े रहते हो।"

"अरे, मैं पीछे पड़ा हूँ कि ये हरामी पीछे पड़े हैं..." कहते हुए जलेस्सर रवीन्द्र की पकड़ में खिंचता हुआ चला गया।

गाँव इस हलचल के बाद धीरे-धीरे सो गया। सिर्फ धर्मेन्द्र, शिवलाल और शामदेव देर तक बुझती हुई आग के किनारे बैठे हुए धीरे-धीरे बातें करते रहे।

सुबह होते-होते गाँव में दो तरह की चर्चाएँ फैल गयीं। एक तो यह कि बनारसी ने शिवलाल की घारी फूँकी है। दूसरी यह कि बनारसी तो कई दिन से बाहर गया हुआ है, वास्तव में यह आग कउड़े[2] से लगी है। कउड़े[2] में आग रह गयी थी, पछिया हवा से वह उड़कर फूँस में जा लगी बस। इसलिए हत्यारी तो शिवलाल को लगनी चाहिए।

बनारसी भी सवेरे-सवेरे बाहर से आ पहुँचा। वैसे वह आ तो रात को ही गया था लेकिन सुबह नौ बजे के करीब वह कुछ सामान-वोमान लिए खेत से यों लौटा जैसे अभी-अभी बाहर से आ रहा हो। उसे मोतीलाल के यहाँ लोगों के खाने का समाचार मिल चुका था।

वह जलेस्सर के यहाँ पहुँचा। जलेस्सर घास-पात लेकर खेत से लौटा था।

"का हो जलेस्सर भाई, खूब दही-चूरा कटा है न?" बनारसी ने चिकोटी काटी।

"अरे थूड़ी है दोखी के चूरा-दही को। ससुरे सब कहते हैं कि मोतीलाल ने रातोंरात सोखा लाकर अपने घर का भूत भगा दिया है और गंगाजी नहा आया है और निकासन के दिन सतनरायन बाबा की कथा सुन ली है। अब खाने में क्या

---

1. दरिद्र।
2. अलाव।

हर्ज है।"

"तो ठीक ही तो है, जाकर भकोसा क्यों नहीं?"

"मेरा जी नहीं माना, मुझे लगता है कि यह शिवलाल और शामदेव की चाल है। भला ओझा आएगा तो छिपा रहेगा?"

"देख लो इस गाँव को। देवप्रकाश भाई के यहाँ तो सबने बायकाट कर दिया। तुमने भी तो किया था। लेकिन दोनों नेता के इशारे पर मोतीलाल के यहाँ गाँव भर पहुँचा बोर कर दही-चूरा काट आया। यही देखो, शिवलाल को हत्यारी लगी है। कोई है कहनेवाला उसे कि वह हत्यारी का प्रायसचित करे!"

"अरे भाई, कहने वालों ने तो कल रात को ही कह दिया। लेकिन वे लोग तो तुम्हीं को हत्यारी लगा रहे हैं।"

"हाँ-हाँ, मुझे तो लगाएँगे ही। देखो, पाप कितना अपरबल होता है, उधर मोतीलाल के यहाँ खाना खाया, उधर आग लगी। आग तो उसी पेटमडुवा ने लगायी है। देखो, अभी और क्या-क्या होता है।" कहकर बनारसी गंभीर हो गया। दो-चार आदमी और आकर बैठ गए। सामने से एक परदेसीनुमा आदमी अपने एक शागिर्द के साथ जाता हुआ दिखाई पड़ा। उसकी वेशभूषा से लगता था कि वह कोई विशिष्ट व्यक्ति है।

"कहाँ मकान है?" बनारसी ने पूछा।

"मकान? मकान तो मेरा काशी है, बच्चा।"

"इधर कहाँ जाना हो रहा है, महाराज!"

"इधर? अरे, क्या बताऊँ अजब इलाका है बच्चा। मैं तो इस खोह-खाई में फँस ही गया हूँ, चलते-चलते दम निकल गया। ऊधो बाँह गहे की लाज। बस महरौली के बाबू साहब को वचन दे दिया था कि कभी आऊँगा। उसी वचन का पालन कर रहा हूँ।"

"अरे बैठिए महाराज, महरौली अब यहाँ से दूर नहीं है, चले जाइएगा आराम करके।"

लेकिन वह आदमी बैठा नहीं, बल्कि जलेस्सर के चेहरे की ओर गौर से देखता रहा। जलेस्सर उसकी दृष्टि झेलता हुआ परेशान-सा हो रहा था।

"बच्चा, तुम्हें कोई कष्ट है क्या?"

"महाराज, आप तो बहुत बड़े जोतिसी मालूम पड़ते हैं।" एक आदमी ने श्रद्धापूर्वक कहा।

"जोतिसी-बोतिसी तो क्या, मैं तो बस भगवती का पूजक हूँ, उन्हीं की सब कृपा है।"

"बैठिए, महाराज, बैठिए। बड़े भाग कि आप इस गाँव में पधारे।" कई आदमी एक साथ चिल्लाए।

विसेस्सर दौड़कर खाट ले आया। महाराज बैठ गए। तख्ते पर उनका शागिर्द भी बैठ गया।

वह आदमी अभी भी जलेस्सर के ही चेहरे को देखता रहा। उसने कुछ ध्यान लगाने का अभिनय किया, फिर आँख खोली–

"बच्चा, तुम्हें कोई भूत-बाधा मालूम पड़ती है। इसलिए मैं तुम्हारे यहाँ का जल नहीं ग्रहण कर सकता। अच्छा, मैं अब चलता हूँ। बाबू साहब के यहाँ कुछ काम निबटाना है, फिर जल्दी ही काशी लौटना है।" कहते हुए वह उठ गया।

"अरे महाराज, आप आए हैं तो दो-एक दिन इस गाँव को भी पवित्तर कीजिए।"

"नहीं भाइयो, मेरे पास समय नहीं है, मुझे जाना ही होगा।"

लोग अनुनय किए जा रहे थे कि बनारसी बिगड़ उठा–"अरे, जाते हैं तो जाने दो न, ऐसे-ऐसे ओझा-सोखा और जोतिसी मैंने बहुत देखे हैं। जो मैं भाख दूँगा ये क्या भाखेंगे? अरे, कोई होंगे मंगताखाता।"

ज्योतिषी जी का चेहरा लाल हो गया और लोग बनारसी को भला-बुरा कहने लगे। ज्योतिषी जी ने गंभीर होकर कहा, "मुझे ताव दिलाते हो बच्चा, लेकिन मैं तुम्हारे-जैसे नादानों के मुँह क्या लगूँ? यहाँ न ठहरने का कारण यह है कि मैं यहाँ घर-घर में भूत-प्रेत देख रहा हूँ, एक जगह का दूर किया तो दूसरा आदमी मेरे पीछे लग जाएगा।"

"अरे आप अपने रास्ते जाइए महाराज, इस गाँव के भूतों के लिए मैं ही काफी हूँ।" बनारसी ने झल्लाकर कहा।

"अच्छा तो तुम ताव दिला रहे हो? अच्छा भाइयो, मैं दो-एक दिन इस गाँव में ठहरूँगा। करो मेरे ठहरने का इन्तजाम।"

लोग बहुत खुश हुए लेकिन किसके यहाँ ठहराया जाए, यह एक समस्या थी।

"शिवलाल के यहाँ महाराज को ठहराया जाए।" कई लोग एक साथ चिल्लाए।

महाराज ने थोड़ा ध्यान किया, फिर बोले, "उँहूँ, उसे तो हत्यारी लगी है।"

'वाह जोतिसी महाराज, ये तो उड़ती चिड़िया पकड़ने वाले हैं' –लोगों के चेहरों पर यह भाव तैरने लगा था।

"तब शामदेव के यहाँ ठीक रहेगा।"

ज्योतिषी महाराज ने फिर ध्यान किया–"उँहूँ, एक मर्म की बात वहाँ भी है, लेकिन काम चल जाएगा। अरे भाई चलो, कहीं इन्तजाम करो, मेरा कोई क्या बिगाड़ लेगा?"

ज्योतिषी जी शामदेव के यहाँ ठहराए गए। तिजहर को गाँवभर के लोगों का जमावड़ा हुआ।

शिवलाल ने लोगों के मुँह से सुन लिया था कि ज्योतिषी ने उस पर हत्यारी का आरोप लगाया है इसलिए मन ही मन ज्योतिषी से नाराज़ भी था और आतंकित

भी। उसने धीरे से शामदेव से कहा कि ज्योतिषी जी (जो अपने को ओझा भी कहता है) की परीक्षा लेने के लिए गोला भखवाया जाए। ऐसा न हो कि कोई ठगड़ा हो। धर्मेन्द्र ने भी इसका समर्थन किया। शामदेव भी बात मान गए। शिवलाल के घर में देर तक तीनों आदमियों की खुसुर-पुसुर होती रही कि गोले में क्या रखा जाए? अंत में धर्मेन्द्र ने कहा–'वनमुर्गिया' लिखकर उसमें डाल दिया जाए। सबने हँसकर इसका समर्थन किया। शिवलाल की बेटी कलावती ने भी सुना, सुनकर मुस्करायी।

मजमा जुटा हुआ था। बनारसी भी था। वह बेहद परेशान नज़र आ रहा था कि कहीं लेने के देने न पड़ जाएँ।

ज्योतिषी जी भगवती के ध्यान में खोए हुए थे, शागिर्द अपनी संध्या भाषा में ज्योतिषी से बातचीत कर रहा था। दोनों ही भीतर-भीतर भयभीत थे कि बुरे फँसे। लेकिन इस प्रकार की घटनाओं के वे अभ्यस्त थे इसलिए हिम्मत बाँधे हुए अपनी साधना में लीन थे।

घंटे भर तक कुछ पकड़ में नहीं आया तो शागिर्द ने लोगों से कहा–"बात यह है कि भगवती सोई हुई है। बहुत अनुनय करने पर भी अभी जाग नहीं सकी है। अच्छा हो कुछ समय के लिए बन्द कर दिया जाए।"

कुछ लोगों ने सन्देह और उपहास के भाव से आपस में देखा, कुछ लोग भक्ति-भाव से अब भी अवनत रहे।

शागिर्द ने लोटा उठाया और पेट में दर्द का बहाना बनाकर गोड़साल[1] की ओर चला गया। जाकर भड़भूजिन से कहा–"ठकुराइन, मैं राही हूँ, जरा पानी गरमा देना, पेट में बहुत दर्द हो रहा है।" उसका पानी गरम होने लगा। कलावती भी वहाँ भूजा भुजा रही थी। सखियों से बोली–"पता नहीं, आज ज्योतिषी बेचारे का क्या होगा। गोले में वनमुर्गिया का नाम रखा गया है, भला बेचारा इसे क्या भाख पाएगा?"

"नहीं सखी, सुना है बहुत बड़ा ज्योतिषी और सोखा है। जरूर भाखेगा।"

ज्योतिषी जी के चेले ने लोटे का पानी पिया और मासूम भाव से गाँव के बाहर हो लिया। फिर घूम-फिरकर दूसरे रास्ते गाँव में लौट आया और फिर अपनी पगड़ी-बोगड़ी बाँध ली। उसने संध्या भाषा में गुरु को संकेत किया कि हाँ, शुरू हो जाए, पता चल गया है।

इस बार ज्योतिषी ने बड़े विश्वास की हँसी हँसकर लोगों को देखा। और आँख मूँदकर भगवती से संवाद करने लगे–"बहुत देर लगा दी, जगदम्बे! यहाँ तो तेरे पुत्र की प्रतिष्ठा पर आ पड़ी है और तू सो रही थी, माँ। ना माँ, पुत्रों को इस तरह भीड़ में असहाय मत छोड़ दिया कर।"

ज्योतिषी जी ने धीरे-धीरे सत्य उगलना शुरू किया–

1. भड़भूजे का भाड़।

"चिड़िया है, चिड़िया है, चिड़िया है।"

फिर एक चुप्पी।

"चिड़िया तो बहुत होती हैं, गुरु जी। इतने से कैसे काम चलेगा?"

"आगे बताओ, माँ..."

"जल में रहती है...गाँव के पोखरी-पोखरों में रहती है।"

शिवलाल कम्पनी के चेहरे पर रंग आते थे, जाते थे।

बनारसी भी अद्भुत परेशानी में था।

जैराम सुरती मलते हुए मुस्करा रहे थे।

मोतीलाल ज्योतिषी और ओझा सोखा के मजमे में आना अपने बुद्धिवाद का अपमान मानकर नहीं आए थे।

"वनमुर्गिया है, वनमुर्गिया है, वनमुर्गिया है!" ज्योतिषी जी चिल्लाए जा रहे थे।

"खोल दो गोला! खोल दो गोला," कई लोग चिल्लाए।

एकाएक ज्योतिषी जी चिल्लाए—"क्या कहा माँ, यह चिड़िया नहीं है? फिर मुझसे झूठ क्यों बोली, माँ? क्या कहा—वनमुर्गिया के रूप में भूत है और पड़ोस का भूत है? क्या कहा पेटमड़ुवा है?"

ज्योतिषी जी ने आँख खोल दी। शामदेव ज्योतिषी जी के पैरों पर गिर पड़े और धीरे-धीरे और लोग भी श्रद्धा से उनके पैरों पर गिरने लगे और शिवलाल ने गोला फोड़कर वह कागज़ की चिट निकाली जिस पर वनमुर्गिया लिखा हुआ था। लोग चकित थे। ज्योतिषी जी के साथ-साथ लोगों को बनारसी पर श्रद्धा होने लगी। हाँ-हाँ, बनारसी ने उसी दिन भाख दिया था कि यह वनमुर्गिया नहीं, पेटमड़ुवा है।

जलेस्सर चुपचाप बैठा-बैठा बुझता गया, फिर धीरे-धीरे हिलने लगा और एकाएक उठकर अभुवाने[1] लगा।

"अरे, यह क्या हुआ?" लोगों ने चौंककर जलेस्सर को देखा।

जलेस्सर फिर नाचने लगा। कुछ लोग रस लेते हुए मुस्कराने लगे। कुछ लोग आतंकित होकर इधर-उधर बिखरने लगे। लेकिन ज्योतिषी जी निरुद्वेग भाव से जहाँ के तहाँ बैठे हुए एक मुस्कान-भरी नज़र से उसे देखते रहे। बोले—

"नाच-कूद ले भाई, अब तेरा भी समय आ गया है। बहुत परेशान किया है बेचारे को।"

जलेस्सर और ज़ोर-ज़ोर से नाचने लगा। वातावरण में एक सिहरन भरने लगी और कई लोग हलके-हलके सिहरते-से दिखाई पड़े।

ज्योतिषी जी ने अपनी आश्वस्त मुस्कराती नज़र सारी भीड़ पर धीरे-धीरे फेरी।

---

1. आविष्ट होकर हिलने और सी-सी करने लगना।

बोले–"मैंने कहा था न कि इस गाँव में बहुत से गड़े हुए मामले हैं। देखिए, धीरे-धीरे अपने आप खुल रहे हैं।"

शिवलाल ने देखा कि रामलाल भी धीरे-धीरे सिहर रहा है तो उसे किसी काम से घर भेज दिया। वह एक झटके से उठा और दोनों कान झाड़कर धीरे से चल पड़ा।

धीरे-धीरे शाम हो गयी। ठंड बढ़ने लगी। ज्योतिषी जी उठे और जलेस्सर को पकड़कर बिठा दिया और उसके सिर पर दो-चार बार हाथ फेरकर कुछ मंत्र सा पढ़ा और हँसकर कहा–"अरे भाई पेटमडुवा, अधिक परेशान नहीं करते। इसके पहले कि मैं तुझे भस्म कर दूँ, तू इसका साथ छोड़कर चला जा।" फिर जलेस्सर को सम्बोधित कर कहा–"ठीक है, ठीक है, जलेस्सर बच्चा, अब तू घर जा। कल इस पेटमडुवा को बाँध-बूँधकर कहीं फेंक दूँगा। इसको फेंकने के दो ही रास्ते हैं–एक तो यह जिस घर का है उसी घर में बाँध दिया जाए या फिर इसे बाँध-बूँधकर दूसरे सिवान में या नदी में फेंक दिया जाए। लेकिन इसके लिए जरूरी है कि जिस घर का यह है उस घर वाले भी सहयोग दें, यानी इसे पूजा-पाठ दें।"

कुछ लोग चिल्लाए कि मोतीलाल के घर में ही बाँध दिया जाए, कुछ की राय थी कि अहिरौली के अहीर बहुत बदमाश हैं, हमारा खेत चरा डालते हैं, उन्हीं के सीवान में फेंक दिया जाए।

ज्योतिषी जी मुस्कराए–"यानी आप लोग अपना बवाल दूसरों के सिर फेंकना चाहते हैं। यह मानवता नहीं है, भाइयो! इसे बाँध-बूँध कर नदी में ही फेंक दूँगा। अच्छा, अब कल मिलेंगे। आप लोग जाइए, आराम कीजिए।"

लोग अपने-अपने घरों को चले गए तो भी कुछ लोग अलाव के पास घिरे रहे।

रात को एकांत में ज्योतिषी जी से शिवलाल, शामदेव और धर्मेन्द्र खुसुर-पुसुर बात करते रहे। तीनों ज्योतिषी जी को पोटने[1] की कोशिश करते रहे। "महाराज, इस गाँव में बहुत-बहुत दोखी हैं, आप आए हैं तो इसकी सफाई करते जाइए।"

"देखिए, मैं गाँव की सफाई करने वाला कोई जमादार नहीं हूँ और यह काम ऐसा पेचीदा है कि बहुत सँभलकर चलना पड़ता है। जो लोग स्वयं अपनी रोग-व्याधि दूर करवाने आते हैं, मैं उन्हीं से संबंध रखता हूँ, बाकी को नहीं छेड़ता। वैसे वातावरण ऐसा बन जाता है कि सारे भूत-प्रेम अपने आप सामने नाचने-खेलने लगते हैं।"

"महाराज, सो तो ठीक है, लेकिन आप आए हैं तो सारे गाँव की सफाई करके ही जाइए। गाँव में हम लोगों के रहते आपका कोई कुछ नहीं बिगाड़ पाएगा।"

"ठीक है, जितनी सफाई हो पाएगी, हो जाएगी।"

---

1. पटाने।

“तो भी हम चाहते हैं कुछ संकेत करना। कुछ लोग ऐसे बड़े पापी हैं जो बड़े घाघ हैं, सीधे पकड़ में नहीं आएँगे, आप उन पर अपना फंदा जरूर फेंकें।”

“जैसे?” ज्योतिषी जी ने पूछा।

“जैसे देवप्रकाश और बनारसी नाम के दो पापी हैं।” ज्योतिषी जी मुस्कराए, फिर ध्यान लगाया। कुछ देर बाद आँखें खोलीं तो बोले–“देवप्रकाश के बारे में भगवती कोई दोष नहीं लगा रही हैं।”

“महाराज, वह दोखी है कि नहीं यह नहीं देखना है। उसे दोखी सिद्ध करना है। इसके लिए आप जो भी पूजा-पाठ चाहेंगे, दिया जाएगा।” तीनों को यही राय थी।

“यानी आप लोग भगवती को घूस देकर झूठ बुलवाना चाहते हैं। कैसे आदमी हैं आप लोग?”

तीनों सिटपिटा गए। “अच्छा, जैसी मरजी महाराज की।” कहकर क्षमा-याचना कर ली।

ज्योतिषी जी एक रहस्यभाव से मुस्कराए, “अच्छा, अब कल की बात कल पर।” कहकर उठ गए और सभी सोने चले गए।

देवप्रकाश सुबह उठे तो निबट-उबटकर खेत का एक चक्कर लगा आए। लौटकर आए तो देखा कि नारायणपुर के शंकर विराजमान हैं।

“भइया, प्रणाम, शंकर ने दूर से ही सलाम ठोंका।”

“प्रणाम भाई, प्रणाम!” कहते हुए देवप्रकाश आकर बगल में बैठ गए।

“क्या हाल है भइया, शिकारपुर का?” शंकर ने मुस्कराते हुए पूछा।

“बस शिकार हो रहा है रात-दिन और क्या?” देवप्रकाश ने कहा।

एक क्षण की चुप्पी।

“अरे शंकर भाई, परसों आप लोग मोतीलाल के यहाँ नहीं बुलाए गए थे क्या?”

“अरे, वे बुलाते भी तो हम लोग नहीं जाते और वे तो अभी सवेरे-सवेरे शहर की ओर भागे जा रहे थे। बहुत परेशान नज़र आते थे। क्या बात है, भाई साहब?”

“अब मुझे क्या मालूम, कुछ देर गाँव में रहो तो शायद पता चल जाए। हाँ, कल भी छुट्टी थी, आज इतवार है, लोग गाँव पर ही होंगे, पूरे शिकारपुर से मुलाकात हो जाएगी।”

“अरे हाँ, आया हूँ तो कुछ देर रहूँगा ही।”

“ताजा अखबार है क्या, शंकर भाई?”

“हाँ, कल शहर गया था न, सो लेता आया था। यहाँ कहाँ अखबार और कहाँ सखबार!”

देवप्रकाश अखबार पर नज़र फेरने लगे। विधान सभा में विरोधी दल के एक सदस्य के प्रश्न के उत्तर में एक मंत्री का वक्तव्य छपा था कि कौन कहता है गाँवों का विकास नहीं हुआ है। गाँव बड़ी तेज़ी से विकसित होकर आधुनिक हो रहे हैं। गाँव-गाँव में ट्यूबवैल लग गए हैं, चारों ओर सड़कें दौड़ रही हैं, जगह-जगह सरकारी डिसपेंसरी खुली हुई हैं, शिक्षा का विस्तार हो रहा है, पंचायतें हैं, चकबन्दियाँ हो रही हैं, चरागाह बन रहे हैं, किसानों को नए बीज और खेती के लिए सरकारी ऋण दिए जा रहे हैं और सबसे बड़ी बात तो यह कि गाँव का आदमी भी अब अन्धविश्वासों से ऊपर उठकर खुले दिमाग़ से समस्याओं को समझने-बूझने लगा है।

देवप्रकाश ज़ोर से हँसा।

"क्या बात है, भइया?"

"आपने मंत्रीजी का यह वक्तव्य पढ़ा?"

"अरे यह! हाँ-हाँ, पढ़ा है। ठीक ही तो कहा है मंत्रीजी ने कि गाँव भी आधुनिक हो रहे हैं। देखिए भाई साहब, गाँव-गाँव में आटे की चक्की चल रही है और यह भी देखिए गाँव-गाँव में ट्यूबवैल लग गए हैं। देखिए आवाज़ आ रही है, शिवलाल के ट्यूबवैल की। स्कूल भी खुल गए हैं। देखिए न, शिकारपुर लंठ-बाँगड़ों का गाँव माना जाता था, अब इस गाँव में एक दर्जन एम.ए., बी.ए. हो गए हैं। कोई नेता है, कोई वकील है, कोई प्रोफेसर है, कोई अध्यापक है।"

"और यह भी सुनिए..." देव ने नगाड़े की उठती हुई आवाज़ की ओर ध्यान दिलाते हुए कहा।

"अरे, यह क्या है?"

डिम डिम डिम डिम...डिम डिम...

"यह? आपको नहीं मालूम, शंकर भाई? अरे इस गाँव में तो भूत-प्रेत को लेकर वह तमाशा मचा हुआ है कि कुछ न पूछिए। पहले बनारसी ने मोतीलाल के घर के भूत की खोज की और कल से एक ज्योतिषी ओझा गहागड्ड मचाए हुए है।...ई जलेसरा मूरख ओझा की हर फूँक पर नाचता फिर रहा है।"

"अच्छा, मुझे यह सब नहीं मालूम था। वास्तव में कल ही कई महीने बाद बाहर से लौटा हूँ। तो मोतीलाल ने कुछ प्रतिवाद नहीं किया?"

"अरे, प्रतिवाद क्या करते, देखिए न आज उन्हीं के घर के भूत का फैसला होने वाला है और वे जान बचाकर शहर भाग गए।"

"उसका दोष नहीं भाई साहब, नेता का अर्थ ही है हिजड़ा।"

"अरे, उधर डुग्गी बज रही है। चलिएगा नहीं आप लोग!" सुरती ठोंकते हुए जैराम हाज़िर हो गए।

"हाँ भाई साहब, जरा चलिए, तमाशा ही सही।"

"नहीं, मैं नहीं जाता इन बेवकूफों की भीड़ में।"

"अरे, भीड़ में मत चलिए, आप चलकर अपने खेत में बैठिए, जुलूस वहीं से जाएगा।" जैराम बोले।

शंकर ने देवप्रकाश की बाँह पकड़कर उठा लिया। तीनों गाँव के बाहर निकले। दस बज रहे थे। गाँव के चारों ओर गेहूँ-जौ-मटर की भीगी हरियाली हँस रही थी। गाँव के गोइड़े जलेस्सर के मूलियों के खेत खूब जोम पर आए हुए थे। तीनों देवप्रकाश के खेत में जाकर बैठ गए। जुलूस इधर से ही होकर भगवती के स्थान की ओर जाएगा।

पुक-पुक पुक-पुक गाँव के बेनी साहू की आटे की मशीन चल रही थी और शिवलाल के खेत में भट-भट-भट-भट ट्यूबवैल की मशीन पानी फेंक रही थी।

जुलूस पास आ गया।

"अच्छा तो जुलूस में पारस बबुआ भी हैं।" जैराम ने उपहास के साथ कहा।

"हाँ-हाँ, बिल्कुल हैं, पैंट-मोजा-जूता पहने, हैट लगाए।" देवप्रकाश ने कहा।

"मैंने तो सुना है कि ये किसी से मिलते-जुलते ही नहीं। बड़े अपटू-डेट हैं।" शंकर ने प्रश्न किया।

"अरे, तो यहाँ कौन मिलना-जुलना है। यहाँ तो तमाशा देखना है और औरों की इज्जत का मज़ाक बनते हुए देखना है। इसमें तो यह खानदान बहुत आगे है।" देवप्रकाश ने कहा।

"अच्छा-अच्छा, आप लोग अब ज़रा पास आ जाइए।" जैराम ने कहा।

तीनों टहलते हुए खेत के उस मेंड़ पर आ गए जहाँ से जुलूस को गुजरना था।

गाँव का गोड़इत नगाड़ा बजा रहा था। ज्योतिषी जी (जो अब ओझा बने हुए थे) रह-रहकर मंत्र मारते थे और जलेस्सर अभुवाता हुआ चल रहा था, बीच-बीच में टि टि टि टि भी बोल उठता था। पीछे-पीछे बहुत-सी स्त्रियाँ भी बाल खोले पागलों की तरह सिर नचाती चल रही थीं, कई और आदमी हलके-हलके झूम रहे थे। भीड़ में शिवलाल, शामदेव, धर्मेन्द्र, बनारसी—सभी शामिल थे। शिवलाल ने रामलाल को जान-बूझकर आज खेत की सिंचाई के लिए भेज दिया था।

शिवलाल ने एकाएक देखा कि रामलाल भी भीड़ में आकर अभुवा रहा है।

ज्योतिषी ने उसे मंत्र मारा और चिल्लाकर कहा—"टोना है, टोना है, पास-पड़ोस का टोना है। बाँझ का टोना बड़ा अपरबल है रे, संतान नहीं होने देता।"

रामलाल और ज़ोर-ज़ोर से नाचने लगा।

धर्मेन्द्र की ओर काफी लोग देखने लगे। उसे काटो तो खून नहीं। शिवलाल भी चकराए, शामदेव का माथा घूम गया, ये सारे लक्षण तो धर्मेन्द्र की स्त्री के हैं...

"रामलाल!" शिवलाल ज़ोर से चीखा—"भाग जाओ खेत में, यहाँ क्या करने आ गए?"

"अरे, वह थोड़े आया है, उसे टोना अपने आप खींच ले आया है। उसे काहे को डाँटते हो!" बनारसी बहुत गंभीर होकर बोला।

रामलाल ने खोयी-खोयी नज़रों से पिता को, भीड़ को देखा और फिर अभुवाने लगा।

शिवलाल ने रामलाल को पकड़ा और बाँह खींचता हुआ खेत की ओर चल पड़ा।

ज्योतिषी जी मुस्कराते रहे। "देखो-देखो, अपना दोख खुलने के डर से लोग कैसे अपने-अपने लोगों को बाहर खींच ले जा रहे हैं!" बनारसी ने टिपासा जड़ा।

"अरे नाहीं हो बनारसी चाचा, लड़िका है, नगाड़ा की आवाज़ सुनकर जोश में आ गया था।" जैराम बोले।

"यानी ट्यूबवैल की आवाज़ से तेज़ नगाड़े की ही आवाज है।" शंकर बोले।

"ज्योतिषी जी बड़े जाबिल सोखा हैं भाई, ये तो बहुत गड़ी-गड़ी बातें उभाड़ दे रहे हैं।" शामदेव के सपूत पारस बबुआ अपनी बलबलाती आवाज़ में बोले। और मन-ही-मन सोचने लगे—आज शाम को उनसे अपना परीक्षाफल भखवाऊँगा, दो साल से तो फेल हो रहा हूँ, देखूँ इस बार क्या होता है?

जुलूस आगे बढ़ गया—रामी तलाव की भगवती के थान की ओर। देवप्रकाश अपने खेत में रह गए लेकिन जैराम और शंकर साथ-साथ चलते रहे।

भगवती थान पर और भी कई औरतें पहले से बैठी थीं और हलके-हलके अभुवा रही थीं। जैराम ने शंकर से कहा—"देखा भाई साहब, इन औरतों में से कोई वकील के घर की है, कोई प्रोफेसर के घर की, कोई अध्यापक के घर की।...और वह...वह तो शायद मोतीलाल की बहू है।"

ज्योतिषी जी जलेस्सर को खेलाते रहे। पेटमड़ुवा से बोकरवाते[1] रहे। जलेस्सर यानी पेटमड़ुवा चीख़-चीख़कर मोतीलाल का नाम लेता रहा।

ज्योतिषी ने हँसकर कहा—"अच्छा, अब मैं इसे बाँधकर, जलेस्सर के यहाँ से फेंकता हूँ, जहाँ जाए।"

"महाराज, गाँव भर में तो यह प्रचार किया गया कि मोतीलाल ने किसी ओझा से रातों-रात बाँध-बूँधकर फेंकवा दिया है और इसी विश्वास पर गाँव भर उनके यहाँ दही-चूरा काट आया है और आप कहते हैं कि अभी वह जहाँ का तहाँ है।" जैराम ने कहा।

"अरे, कहनेवालों का क्या? जब मैंने कहा कि यह पेटमड़ुवा है पड़ोस का, तो लोग कहने लगे—झूठ है। अब जब ई महाराज कह रहे हैं तो गाँव भर सही मान

---

1. बात उगलवाते रहे।

रहा है। घर का जोगी जोगड़ा आन[1] गाँव का सिद्ध।" बनारसी तैश में बोला।

"तो ठीक है। यदि इसके मालिक ने उतरवा दिया है तो मुझे क्या आपत्ति है? मैं जलेस्सर के सिर से इसे टाल दे रहा हूँ। इसके मालिक चाहें तो इसे जड़-मूल से ही समाप्त कर दूँ।"

"कहाँ हैं मोतीलाल जी? अरे भाई कहाँ हैं?"

"अरे, कहाँ हैं क्या। वे आज सवेरे-सवेरे शहर गए हैं देश की किसी महत्त्वपूर्ण राजनीतिक समस्या पर नेताओं से बातचीत करने। यहाँ भूत-प्रेत भखवाने के लिए बैठे रहेंगे क्या?" शंकर बोले।

"अरे, ऊ नहीं हैं तो मैं तो हूँ न! महाराज, इसे बाँध-बूँधकर नदी में फेंक दीजिए। जो पूजापाठ होगा मैं दूँगी, ऊ तो करनी करके बैठ गए हैं।" मोतीलाल की औरत ने कहा।

भगवती के थान पर नगाड़ा बजने लगा। ज्योतिषी जी बैठकर अभुवाने लगे और कोई यहाँ, कोई वहाँ, सिर झाँट-झाँटकर अपने भूत से खेलने लगा।

"चलो भाई, जी ऊब गया।" शंकर ने जैराम से कहा।

दोनों वहाँ से चल पड़े।

"स्वराज्य के बाद इसी गाँव की कल्पना की थी नेताओं ने।" शंकर ने कहा।

"और, यह देन भी तो उन्हीं की है, भाई साहब!"

"क्या होगा गाँव का, जहाँ जड़ता इतनी कि एक बेवकूफ आदमी भी सोखा-ओझा बनकर ठग ले और जहाँ चालाकी इतनी कि हर आदमी अपने स्वार्थ के लिए दूसरे को बेच खाए।"

जाड़े की दोपहरी में हरे-भरे खेत फैले थे। एक सिहरन में लिपटी हवा को तोड़-तोड़कर आटे की मशीन की पुक-पुक-पुक-पुक और ट्यूबवैल का भट-भट-भट-भट स्वर उभर रहा था और पीछे नगाड़े पर बजता हुआ एक पूरा माहौल छूट रहा था।

यह माहौल काफी रात तक बजता रहा। भूत-प्रेतों की बँधाई होती रही। ओझा जी उन्हें बाँध-बाँधकर रखते रहे जिन्हें वे इस गाँव से जाते समय लेते जाएँगे और नदी में छोड़ देंगे।

पूजा-पाठ की रकम से लदकर ज्योतिषी जी अपने चेले के साथ दूसरे दिन विदा हो गए और गाँव में एक सन्नाटा-सा छा गया। लेकिन यह सन्नाटा अपने भीतर अजीब हलचलें छिपाए हुए था।

बनारसी अपने खेत में घास उखाड़ता हुआ सोच रहा था कि बहुत होशियार बनते

---

1. दूसरा।

हैं लोग—कोई एम.ए. है, कोई बी.ए है। यह शिवलाल कंपनी भी बहुत लगाती है अपने को। कैसा सबको चूना लगाया? जाकर जान-पहचान के एक पढ़े-लिखे ठगड़े को पकड़ लाया और वह गाँव भर का भूत भाखकर चला गया। सोचते-सोचते बनारसी भी हैरान हो गया कि आखिर उसने गोले में रखा वनमुर्गिया का नाम कैसे भाख दिया। लगता है वह ठगड़ा ही नहीं है, उसे कुछ सिद्ध भी है। नहीं, यह भी हो सकता है कि उसने उसको जो सूचनाएँ दी थीं उन्हीं के आधार पर उसने वनमुर्गिया का अन्दाजा लगा लिया हो।...जो भी हो, इस नेता के बच्चे की खूब खबर ली और बच्चू को भागते आड़ नहीं मिली और अब धीरे-धीरे यह हवा भी बहने लगी है कि शिवलाल को गौहत्या लगी है और रामलाल को धर्मेन्दर की औरत का टोना लगा है इसीलिए उसे सन्तान नहीं हो रही है। ठीक है, धीरे-धीरे इसका प्रचार खूब करना चाहिए...लेकिन शिवलाल की घारी तो उसी ने फूँकी थी और बछड़े की हत्या की जिम्मेदारी तो उसी की है। गौहत्या तो सचमुच उसी को लगी होगी। उँह, ऐसी-ऐसी गौहत्या तो उसे कितनी लगी होंगी, किस-किस की परवाह करे, इकट्ठे एक बार प्रायसचित कर लेगा।

सामने से चेनइया आ रही थी।

"का है रे चेनइया, का हाल है?"

"अच्छा तो है बनारसी बाबा, यही जिनगी चल रही है।"

बनारसी ने देखा कि हँसती-गाती चेनइया बहुत उदास और मंद दिखाई पड़ रही है। उसकी आँखों में एक बुझा-बुझापन है।

"क्या बात है रे चेनइया! अरे, तोरे मरद की कुछ चिट्ठी-पतरी नहीं आयी थी?"

"अरे बाबा, ऊ मरकीनवना तो न ले जाने में है, न छोड़ने में। उँह, अपनी बलाय से!" कहकर वह बहुत उदास हो गयी।

"बाबा, गाँव भर में भूत ही भूत है का। जोतिसी महाराज न आए होते तो गाँव का नास ही हो गया होता।"

"अरे गाँव भर घटियाही[1] करेगा तो भूत नहीं होगा। तेरा गोंसया तो सरदार है घटिहों का।"

चेइनया को लगा कि उसके पेट में हूल-सी उठ रही है, और एक भूत वह भी छिपाए हुए है।

वह बथुवे का साग लिए आगे सरकने लगी। उसे लगा कि उसकी आँखों के आगे अँधेरा छाया हुआ है। उसका मरद कौन है, कहाँ है, उसे उसने बचपन में देखा था, कुछ ठीक से याद नहीं। कितने साल हो गए! उसकी जवानी उसकी सँभाल में नहीं आ रही—और वह मरद मरकीनवना माई को चिट्ठी लिखता रहा जैसे मुँह

1. आशनाई

छू रहा हो और माई तो डाइन है, उसे अपने लिए बुढ़ौती में भी चटक-मटक चाहिए, वह नहीं चाहती कि मैं ससुराल जाऊँ और मुझे ढकेल दिया शिवलाल बाबा के आगे। शिवलाल ही क्यों, और भी तो कई हैं–दयाल, धरमेन्दर, सभी कुछ न कुछ देते हैं और माई को अच्छा लगता है। उसे भी सब अच्छा लगता रहा। जब मरद हिजड़ा निकल जाए, जबरदस्ती घर में से न निकाल ले जाए, चिट्ठ-पतरी से मुँह छूता हो, जवानी फट रही हो तो अच्छा नहीं लगेगा तो क्या लगेगा? लेकिन अब तो मन ऊब गया है, अपने ही पापों से घिरना[1] हो गयी है। लेकिन माई है जो ढकेलती रहती है और उधर परके हुए लोग हैं। मैं क्या करूँ, हे भगवान! पेट में कुछ रेंग रहा है...इसका क्या करूँगी? लोग पूछेंगे तो किसका नाम लूँगी, कौन पतियाएगा मेरी बात? सभी तो हँसी-मजाक में टाल देंगे और अपनी जात-बिरादरी में वैसे ही बात फैली हुई है मुझे कौन मंजूर करेगा?

उसे भूख लग आयी थी। हर जाड़े में अकाल पड़ जाता है। का बाभन, का चमार–सारा गाँव भूख के मुँह में छटपटाने लगता है। बस साग-पात का आसरा होता है। और कोई काम-काज तो कहीं होता नहीं कि कुछ मजूरी-पताई मिले और न खेत में ही कुछ तैयार होता है, और खेत में कुछ तैयार हो तो कौन उसके खेत हैं। पूरी चमरौटी में खाली गोड़इत को दो बिगहा[2] खेत हैं। बाभनों में भी कौन बड़ा मालदार है? अरे, शिवलाल और शामदेव बाबा के यहाँ अन्न की तरी[3] है जो कभी टूटती नहीं, बाकी लोग तो बस हमारी ही तरह हैं। जिनके यहाँ के लोग बाहर नौकरी-चाकरी कर रहे हैं उनके यहाँ तो काम चल जाता है और लोग तो चमरौटी के लोगों की तरह ही शिवलाल और शामदेव बाबा के यहाँ बेंग बीया के लिए अँगोछा पसारे बैठे रहते हैं। इस वक्त लोगों की भीड़ लगी होगी। इसीलिए तो गाँव के लोग उनके पंजे में रहते हैं। उसे भूख महसूस हुई। चलो, उसकी माई खान-पीने का कुछ-न-कुछ जोगाड़[4] कर ही लेती है दोनों मालिकों के यहाँ से। बाकी चमरौटी बस उपास[5] पर उपास काटती है, इसीलिए तो सब जलते हैं उसके घर से। फिर उसे पेट में एक दूसरी तरह की हूल मालूम पड़ी और उसे अपनी माई पर गुस्सा और घृणा उभर आयी–'डाइन, यह सब इन्तजाम तो मेरी बरबादी की कीमत पर करती है न! हे भगवान्! अब क्या होगा?' और वह जल्दी-जल्दी घर की ओर बढ़ने लगी।

रवीन्द्र ने सोचा कि शिवलाल की गौहत्या और धर्मेन्द्र-बहू के टोना का प्रचार

---

1. घृणा।
2. बीघा।
3. समृद्धि।
4. प्रबन्ध।
5. उपवास।

कर गाँव वालों को कुछ अपने पक्ष में किया जा सकता है। गाँव के कई लोगों से उसकी मुलाकात हो चुकी है और सभी इन दिनों तीनों की गन्दी हरकतों और पापों को लेकर खुसुर-पुसुर करते रहे हैं। लेकिन जब वह खेत से दोपहर को लौटा तो देखा, शिवलाल और शामदेव दोनों के दरवाज़ों पर वे ही लोग उधार पताई लेने के लिए जमा हैं और मोतीलाल को लेकर गम्मज हो रहा है।

शिवलाल बीच-बीच में कोई फुरहरी छोड़ देते हैं और ही-ही-हा-हा का दौर चल पड़ता है।

"बड़ा जनखा गाँव है साला!" रवीन्द्र भुनभुनाया।

खाँसते-खँखारते शामदेव भी आ गए। मानो ये सब मिलकर ज्योतिषी जी के चले जाने के बाद गाँव वालों की प्रतिक्रिया देखना चाहते थे और इसीलिए सवेरे-सवेरे अपने यहाँ से बेंग ले जाने का ऐलान भी करा दिया था।

"आरे, ई सब ठग थे ठग!" एक ने बात उठाई।

"नहीं ठग कैसे हो सकते हैं!" बलबलाती आवाज़ में पारस बबुआ बोले जो समय काटने के लिए वहाँ पहुँच गए थे, "उन्होंने गोला भाख दिया, गाँव वालों के सारे भूतों का पता बता दिया। ठग कैसे हो सकते हैं?"

वास्तव में ज्योतिषी जी ने सबके सामने यह ऐलान किया था कि पारस बबुआ एम.ए. में फर्स्ट क्लास पास होंगे। पारस इस गौरव को नकारना नहीं चाहता था इसलिए ज्योतिषी जी को सच्चा सिद्ध करने का प्रयास कर रहा था। अगर वे झूठे हो गए तो उसके फर्स्ट क्लास का क्या होगा?

"नहीं-नहीं, वे ठग ही थे। ठग न होते तो शिवलाल चाचा को गौहत्या लगाते और धर्मेन्दर भाई के घर टोना-टोटका का पता बताते और रामलाल पर टोने का प्रभाव देखते। यह भला कैसे हो सकता है?"

शिवलाल ने देखना चाहा कि वह आदमी किस भाव से यह बात कह रहा है लेकिन उनकी गहरी आँखें भी थाह नहीं पा सकीं।

"भाई, जब बछड़ा मरा है तो गौहत्या तो किसी को लगेगी ही। अब किसने देखा कि किस ने घारी फूँकी है। कउड़े की आग से लगने की जो बात कही जा रही है वह भी ठीक हो सकती है।" पारस ने बात आगे बढ़ाई।

"लेकिन टोने वाली बात जो है उसके बारे में आप क्या कहते हो, बबुआ? ई तो सरासर जुलुम है कि झूठ-मूठ किसी पर टोना लगा दिया जाए।"

"अरे, तो झूठमूठ मानना है तो सारी बात झूठमूठ मान लो। फिर मोतीलाल के घर के पेटमड़ुवा को ही सही क्यों मान लेते हो?" एक बोला।

"अरे भाई, मोतीलाल के घर के पेटमड़ुवा की बात तो बनारसी ने भी कही थी, लेकिन धर्मेन्दर-बहू को टोनहिन और शिवलाल भाई के ऊपर गौहत्या की बात तो इस ज्योतिषी ने ही कही है। हो सकता है किसी ने सिखा-पढ़ा दिया हो।" वह

आदमी कहे जा रहा था।

शामदेव को लगा कि यह आरोप उसी पर हो रहा है, क्योंकि ज्योतिषी जी तो उसी के यहाँ ठहरे थे और उससे कभी अलग हुए भी नहीं। वह समझ गया कि यह आदमी चालाकी से गौहत्या और टोनेवाली बात को उछाल रहा है और पारस बेवकूफी में फँसकर उसका विरोध कर रहा है।

उसने पारस से धीरे से कहा, "बबुआ, तुम चुप रहो, तुम गाँव की बोली नहीं समझोगे।" फिर उस आदमी से कहा, "अरे भाई, चुप रहो, इसमें क्या रखा है?"

लेकिन वह आदमी फिर बोल पड़ा तो शामदेव ने लाल-लाल आँखें करके उस आदमी की ओर देखा और डंडा उठाकर कहा, "चुप रहो, नहीं तो इसी से पीटकर रद्द कर दूँगा।"

वह आदमी हक्का-बक्का देखने लगा—आखिर उसने किया क्या कि शामदेव उस पर बिगड़ रहा है लेकिन बोला नहीं। वह जानता था कि न्याय-अन्याय इस गाँव में नहीं चलता है और शामदेव से वह घर का एकलौता और गरीब आदमी टकरा नहीं सकता। कोई भी उसके साथ नहीं आएगा।

उधर शिवलाल ने शामदेव से कहा—"अरे, जाने दो भाई, यह तो बौड़म है, जी में जो आता है बक देता है।"

"बौड़म नहीं है, यह बहुत गहरा है। यह कहना चाहता है कि मैंने ज्योतिषी को तुम्हारे घर के खिलाफ उभार दिया है।"

"अच्छा-अच्छा छोड़ो, जाने दो।" शिवलाल ने फिर उस आदमी की ओर मुखातिब होकर कहा, "ले जाओ भाई, तुम अनाज लेकर घर चले जाओ। अब सोखा-ओझा का जो हो गया सो हो गया। उस चक्कर में अपने को क्या पड़ना।"

उस आदमी को भीतर-भीतर इतना क्रोध आया कि शामदेव का सिर फोड़ दे और शिवलाल का अनाज लिए बिना उठकर चला जाए लेकिन वह जानता था कि ये दोनों ही कार्य उसके बस के बाहर हैं और अनाज लेकर वह अतिशय बेचारगी से उठकर चला गया।

"ए जैराम बाबू, जरा देखो तो इस लड़की को क्या हो गया है। खाती है, न पीती है, दिन-दिन सूखती जा रही है।"

जैराम स्कूल जा रहे थे तो शिवलाल की माँ ने उन्हें पुकारकर अपने पास बुला लिया। वे अपनी पोती कलावती के साथ खेत में बैठी साग खोंट[1] रही थीं।

जैराम मास्टर होने के साथ-साथ अच्छे वैद्य भी थे। उन्होंने कलावती की नाड़ी

1. तोड़ना।

पकड़ी तो सन्न रह गए। कुछ देर चुप होकर कलावती की ओर रहस्यमय दृष्टि से देखते रहे।

"का बात है बचवा, कौनो खराब बीमारी है का?"

"हाँ दादी, कुछ ऐसा ही लग रहा है।"

"अरे बचवा तो फिर बताते क्यों नहीं हो कि दवा दारू की जाए।"

"दादी कहने में डर लग रहा है।"

"नहीं, नहीं, कहो बचवा।"

जैराम दादी को एक ओर ले गए और धीरे से कहा—"दादी इसे तो गड़बड़-सड़बड़ मालूम हो रहा है, इसका पाँव कहीं ऊँचे-नीचे पड़ गया है।"

"का कहा बचवा, इसे गरभ रह गया है?"

"हाँ दादी मुझे तो ऐसा ही लगता है।"

दादी गुस्से में आ गयी और जाकर कलावती का झोंटा पकड़कर हिलाते हुए कहा—"कह रे कुलच्छिनी, ई सब करतब कहाँ से कर लायी। किसका गरभ है रे?"

कलावती क्रोध में फनफना उठी और जैराम पर टूट पड़ी—"तुम्हें शरम नहीं आती है भइया, गाँव की कुँवारी लड़की पर यह कलंक लगा रहे हो?" और वह फफककर रोने लगी। दादी बड़बड़ा रही थीं।

जैराम ने दोनों को मना किया कि देखो यह खेत है, एकान्त ज़रूर है लेकिन लोग अपने-अपने खेतों में काम कर रहे हैं, सुनेंगे तो अच्छा-खासा तमाशा बन जाएगा।

लेकिन कलावती फफकती रही, दादी ने चुप कराते हुए कहा, "चुप रह, चुप रह, रो-रोकर तमाशा मत दिखा।"

कलावती अपनी रुलाई और जैराम के प्रति क्रोध दबाकर सिसकती रही। जैराम हैरान से खड़े थे कि यह सब क्या है?

"अच्छा दादी अब मैं चलता हूँ, सच्ची बात किसी को बर्दाश्त नहीं होती।" वे चलने लगे तो दादी ने घिघिया कर कहा—"बचवा जरा सुनना तो। क्या सचमुच..."

"अरे दादी नाड़ी तो यही कह रही है। अब सचमुच-झूठमूठ तो यह लड़की ही बता सकेगी।"

कलावती के पास दोनों बैठ गए, "क्यों रे कल्ली, ठीक-ठीक बता, बात का है? अरे हरामजादी जो हो गया है सो हो गया है, अब इसे छिपाने की जगह जल्दी इसका कोई इन्तज़ाम करना होगा न, जिससे बदनामी से बच जाए।"

कलावती भी अब उफान पार कर वास्तविकता के धरातल पर आ गयी थी। धीरे से उसने सिर हिलाकर स्वीकृति दी।

"किसका है रे चोट्टिन" दादी पूछ रही थी।

"दादी ज़रा धीरज से काम लो, उसे अब गाली-वाली देने से क्या फायदा? हाँ बच्ची, बता किसका है?"

कलावती पहले तो बहुत नाहीं-नूहीं करती रही फिर उसने फफकते हुए कहा, ''धर्मेन्द्र भइया का।''

''क्या?'' जैराम चौंक उठे।

''अरे उस मरकीनवना का है? जिस पतरी में खाता है उसी में छेद करता है। अरे, मुझे तो वह फूटी आँख नहीं अच्छा लगता है लेकिन शिवलाल उसे कंधे पर बैठाए घूमते हैं, अब फल भोगें।'' दादी बड़बड़ा रही थीं।

जैराम धर्मेन्द्र की नीचता पर एक बार तिलमिला गया—''इतना नीच है यह?''

''अच्छा दादी, मुझे भी काम है, चलूँ, इसे सँभालिए।''

''अरे बाबू, अब तुम्हीं कोई उपाय करो, कोई दवा-दारू दे दो, गिर-गिरा जाए।''

जैराम बड़े संकट में पड़ गए—क्या कहें, क्या न कहें? दवा देते हैं तो हत्या लगती है, नहीं देते हैं तो इस लड़की की जिन्दगी बरबाद होती है। उनके मन में एक क्रूर भाव उठा—होने दो बरबाद। शिवलाल दूसरों की इज्जत से खेलते हैं न, दूसरों को अछूत निकालते फिरते हैं न, अपने पर पड़ेगी तो मालूम होगा। एकाएक एक विचार उनके मन में कौंधा कि इस घटना का पक्का सबूत अपने पास रख लेना चाहिए। उन्होंने कहा—''दादी, कुछ दवा-दारू करना कितना खतरनाक है यह तुम जानती हो। कहीं इस चक्कर में मैं ही न फँस जाऊँ। इसलिए यह जरूरी है कि कलावती मुझे लिखकर दे कि धर्मेन्द्र की करनी से उसे गर्भ रह गया है।''

पहले तो कुछ चुप्पी छायी रही फिर दादी ने कलावती को डाँट कर कहा—''लिख दे री लिख दे मरकीनवना का नाम।''

जैराम ने अपनी जेब से कागज-कलम निकाली। कलावती से लिखित रूम में ले लिया और फिर चलने लगे तो कहा—''शाम को दवा मँगा लेना दादी।''

फिर दादी ने घिघियाकर जैराम का पाँव पकड़ लिया—''बाबू यह बात फूटने न पाए।''

''अरे नहीं दादी, मैं ऐसा-वैसा आदमी नहीं हूँ जो दूसरों की इज्जत बरबाद करूँ।''

जैराम चले गए। कलावती को कल्पना नहीं थी कि इतनी जल्दी यह सब कुछ हो जाएगा। वह बेहद उदास हो गयी और देर तक सामने की हरियाली में यों ही खोई रही। दादी गाली देती रही, फिर उसका हाथ पकड़कर कहा—''चल, घर चल।''

इस साल फसल खूब आयी हुई थी। रंग-बिरंगी फूलों से लदी मटर दिसम्बर की सुनहली धूप में जैसे नहाकर अपना शरीर सुखा रही थी। सरसों के पीले-पीले फूल खेतों के ऊपर के आकाश को रंग रहे थे। खेतों की गलियों से लोग आ रहे थे, जा रहे थे। कलावती की आँखों में इस समय केवल एक उदास सन्नाटा था और दादी के भीतर एक सन्नाटे के भीतर उभरती अजीब-अजीब तरह की हलचलें।

''क्या होगा भगवान!'' दादी के मुँह से एक आह निकली और हवा में खो

गया।

जैराम सोचते जा रहे थे कि कितना कमीना है यह धर्मेन्द्र...

लेकिन दोनों सरदार एक साथ काबू में आए हैं–अब देखना है क्या होता है। दवा मैं क्या दूँ? गिराने की दवाएँ तो हैं आयुर्वेद में।...लेकिन ऐसा पाप करना ठीक है क्या? जीव-हत्या।...तो उसे दवा कौन-सी देगा। चलो कोई दवा दे देगा। बाद में कह देगा कि दवा तो गिराने की ही दी थी, नहीं गिरा तो क्या करे?

वह एक बार ठठाकर हँसा, फिर उदास हो आया।

कलावती का पेट बढ़ता गया और उसे घर में क़ैद कर दिया गया। बात फूटते-फूटते फूट गयी और सारे गाँव में हल्ला हो गया कि कलावती को गर्भ है। रामलाल ने उसे मारा-पीटा। शिवलाल माथा पीट कर रह गए।

रामलाल ने उसे पीट-पीट कर पूछना शुरू किया कि किसका पाप है रे यह। कलावती पक्के चोर की तरह चुप रही तो चुप रही लेकिन आखिर कब तक चुप रहती। उसने कबूल किया कि धर्मेन्द्र भइया का।

बाप-बेटे स्तब्ध रह गए। गाँव में शोर तो हो ही गया था कि कलावती गर्भवती है, इसे छिपाना तो कठिन था लेकिन बाप-बेटे पर दुहरा आघात लगा कि यह गर्भ धर्मेन्द्र का है। कुछ देर तक तो वे लोग सोच-समझ ही न पाए कि क्या किया जाए। फिर रामलाल के मन में एक बात कौंधी कि क्यों न इसे रवीन्द्र का गर्भ बता दिया जाए। शिवलाल इस प्रस्ताव पर कुछ बोले नहीं। वहाँ से चुपके से हट गए और रामलाल ने कलावती को सिखा दिया कि वह इसे रवीन्द्र का गर्भ साबित करे ताकि पुलिस-वुलिस के आने पर वही फँसे। कलावती भी पहले आघात से सँभल चुकी थी और पक्के खिलाड़ी की तरह व्यवहार कर रही थी। उसने रामलाल की बात मान ली और पूछने पर रवीन्द्र का नाम लेने लगी।

रामलाल ने दयाल से कहा। दयाल ने उसकी पीठ ठोंकी–"वाह पट्ठे, तुम बहुत चतुर हो, मैं भी तुमको यही सलाह देने वाला था। दरोगा जी तो अपने आदमी हैं, रवीन्द्र को फँसाया जा सकता है। तुम्हारी बदनामी तो हो ही चुकी, ज़रा पुलिस द्वारा इसकी भी कुछ खातिर बात हो जाए।" और धीरे-धीरे गाँव में यह बात फैलने लगी कि रवीन्द्र ने यह काम किया है।

रवीन्द्र ने सुना तो वह बौखला गया। शामदेव के दरवाज़े पर कुछ लोग जमा थे और बहाने से देव परिवार को गालियाँ दे रहे थे। अरे गाँव वाले इतने नीच हो गए हैं कि छोटी जातियों के साथ कुकर्म करते-करते अपने घर-परिवार को भी पाप में सानने लगे हैं। ऐसे लोगों को तो सबके सामने खड़ा कर जूते मारने चाहिए।

"मेरी भी यही राय है, भाइयो!" कहते हुए जैराम हाजिर हो गए। उन्हें मालूम

था कि रवीन्द्र का नाम बदनाम किया जा रहा है। और शामदेव और कम्पनी देवप्रकाश के घर पर यह आग बरसा रही है।

"भला बताओ मास्टर जी, यह भी कोई बात हुई। गाँव की बहू-बेटी सबकी बहू-बेटी होती हैं। इनकी इज्जत पर हाथ डालने वाले पापी की सज़ा और क्या हो सकती है।" शामदेव बोले।

"अरे मैं पुलिस केस करने जा रहा हूँ, तब आटे-दाल का भाव मालूम होगा।" दयाल बोला।

"हाँ-हाँ, जरूर पुलिस केस करना चाहिए। ऐसे हरामियों को जो सजा दी जाए थोड़ी है।" जैराम ने बात पुष्ट की।

"वाह रे रवीन्दर बेटा खूब मरदई का काम किया–शिवललवा की बेटी को बदनाम किया।" देवप्रकाश के यहाँ पहुँचकर बनारसी बोला।

"अरे चाचा, अब तुम भी यही कहोगे? गाँव भर तो मेरी बदनामी कर ही रहा है।"

"दुत मरदवा, इसमें बदनामी क्या है? शिवलाल के यहाँ तुम्हारी शादी करा दूँ कहो तो।" बनारसी बके जा रहा था।

देव भी भीतर-भीतर चिंतित थे कि साली यह एक नयी मुसीबत खड़ी कर दी रवीन्द्रवा ने। लेकिन शिवलाल की बदनामी से थोड़े खुश भी थे। चलो लड़के की बदनामी उतनी नहीं होती जितनी लड़की की।

रवीन्द्र से उन्होंने पूछा भी था लेकिन रवीन्द्र दुखी स्वर में साफ इनकार कर गया। देवप्रकाश भी सच्चाई को पकड़ नहीं पा रहे थे किन्तु शामदेव के यहाँ होने वाले वार्तालाप में जैराम का स्वर सुन कर वे परेशान और दुखी हो रहे थे।

"तो हाँ दयाल भइया, दरोगा जी के यहाँ कब चलना है?"

"मैं तो अभी चल सकता हूँ लेकिन रामलाल या शिवलाल चाचा में से कोई साथ तो हो, उसके केस को हम लोग अपने हाथ में कैसे ले सकते हैं?"

"ठीक है, ठीक है, कोई रामलाल को बुलाओ भाई" जैराम बोले।

एक आदमी रामलाल के घर की ओर गया। इस बीच जैराम फिर बोले–"भाई दयाल, पुलिस केस है, सबूत-बोबूत तो पक्का कर लिया है न, भाई पुलिस का मामला है उलटते देर नहीं लगती।"

"सबूत खुद लड़की है जो अपराधी का नाम बता रही है।"

रामलाल आया। उसने उदास होकर कहा–"बबुआ तो बिना बताए कल ही कहीं चले गए। मैं सोच नहीं पा रहा हूँ कि क्या करूँ?"

"अरे इसमें सोचना क्या है तुम्हारी बदनामी तो हो ही गयी है अब जिसने यह अपराध किया है उसकी भी तो मरम्मत हो।" शामदेव ने कहा। शामदेव बड़ा गुरू आदमी था, वह बाहर-बाहर जिनसे दोस्ती रखता था उन्हें भी ज़रा भीतर से

कमजोर साबित कर एक झटका देता था ताकि वे लोग भय से उसके और करीब आ जाएँ।

"तो ठीक है मुझे क्या एतराज है, चलो।"

'ई जयरमवा क्या कर रहा है? यह एकाएक बदल कैसे गया?' देवप्रकाश बैठे-बैठे सोच रहे थे।

पास में ही थाना था, तीनों आदमी थाने पहुँचे, रपट लिखाई। दयाल दरोगा का दलाल था ही, वे तुरंत तहकीकात के लिए तैयार हो गए।

शिवलाल के मूर्ख बेटे रामलाल के कारण उनके दरवाज़े पर अच्छा-खासा तमाशा बन गया। शिवलाल की माँ माथा पीटकर रह गयी।

कलावती बार-बार रवीन्द्र का नाम ले रही थी। रवीन्द्र डर कर कहीं भाग जाना चाहता था लेकिन देवप्रकाश ने उसे रोक रखा—"भागने से संदेह पुष्ट होगा, दरोगा को दरवाज़े पर आने दो तो उनसे समझता हूँ।"

और जब दरोगा देवप्रकाश के दरवाज़े की ओर मुड़े तो जैराम ने दरोगा से कहा—"दरोगा जी, अपराधी का दरवाज़ा उधर नहीं है, इधर है।"

"क्या मतलब?" दरोगा चौंके।

"मतलब यह दरोगा जी कि अपराधी रवीन्द्र नहीं है, अपराधी धर्मेन्द्र है।"

सब लोग एकाएक चौंक उठे। देव के कान भी सजग हुए।

"क्या, सबूत साहब? लड़की अपने मुँह से रवीन्द्र का नाम ले रही है।" दरोगा बोले।

"और उसी लड़की ने अपने हाथ से लिखकर यह कबूल कर रखा है।" कह कर जैराम ने कलावती का लिखा हुआ कागज दरोगा के सामने बढ़ा दिया।

कलावती भूल चुकी थी कि उसने जैराम को कागज़ लिख कर दिया है। वह एकाएक इस सत्य के सामने आते ही घबरा उठी और अन्दर की ओर भागी।

"क्या सबूत कि वह उसी के हाथ का लिखा हुआ है" दयाल ने तर्क किया।

"उसके हाथ से लिखा कर मिला लीजिए" जैराम बोले।

"तो आपके हाथ यह कागज कैसे पहुँच गया।" दरोगा ने सन्देह से पूछा।

जैराम ने सारा किस्सा बता दिया और कहा, "अफसोस है दरोगा जी कि मैंने अपना वचन तोड़ा। मैंने यह बात किसी से न कहने का वादा किया था लेकिन गाँव वालों के षड्यंत्र से जब एक निरपराध आदमी पर आँच आने लगी तो मुझे यह सब कुछ खोलना ही पड़ा।"

कलावती के व्यवहार से सबको यकीन हो गया कि वह झूठ बोल रही थी। सच्चा अपराधी धर्मेन्द्र ही है। धर्मेन्द्र भी रवीन्द्र के साथ होने वाला दरोगा का तमाशा देखने आ पहुँचा था। उसने भी कलावती को खूब सिखा-पढ़ा दिया था कि उसका नाम नहीं लेगी और रवीन्द्र को ही दोष लगाएगी। लेकिन जब राज़ खुलने लगा तो

धर्मेन्द्र चुपके से भीड़ में से सरक कर घर की ओर भागने लगा। जैराम ने दरोगा जी से कहा–"देखिए श्रीमान जी, वे भागे जो रहे हैं धर्मेन्द्र महाराज।"

दरोगा के इशारे पर पुलिस के सिपाहियों ने उन्हें खदेड़कर पकड़ लिया।

"वाह रे खिलाड़ी जैराम, शाबाश" देव मन ही मन बुदबुदाए। तू ही मेरा सच्चा साथी है।

रवीन्द्र की टँगी हुई साँस फिर से आने-जाने लगी। शामदेव और दयाल के चेहरे काले पड़ गए। गाँव के लोग धर्मेन्द्र के नाम पर थूकने लगे।

दयाल ने दरोगा जी को एकान्त में ले जाकर उनके कान में फुसफुसाना शुरू किया। दरोगा ने सिपाहियों से कहा–"छोड़ दो मास्टर जी को।"

सिपाहियों से मुक्त होकर धर्मेन्द्र तड़के–"यह झूठ है दरोगा जी, मुझे बदनाम किया जा रहा है। यह जैराम की साज़िश है मेरे खिलाफ।"

दरोगा ने ऐसी मुद्रा बनायी जैसे कह रहे हों कि ऐसा भी हो सकता है।

"ठीक है यदि आप कह रहे हैं कि आप निर्दोष हैं। तो मैं इस मामले की अपने ढंग से छानबीन करूँगा, फिर केस चलाऊँगा।" कहकर दरोगा सिपाहियों के साथ जाने लगे।

"उ हुँ हुँ हुँ" जैराम देवप्रकाश के पास पहुँचकर खिलखिलाए–"देख लिया न चाचा जी। न्याय-अन्याय का सरकारी नक्शा। अब मामले की गुप्त तहकीकात होगी।"

देवप्रकाश धीरे से भुनभुनाया–"बेईमान साला।"

दरोगा जी जैराम के व्यंग्य को सुनकर बेहया की तरह अनसुना करके चले गए और शाम तक धर्मेन्द्र की जमा की गयी एक हजार की कुल लेई-पूँजी दरोगा जी की जेब में पहुँच गयी।

गाँव के लोग धर्मेन्द्र को गालियाँ देते अपने घरों की ओर बिखर गए।

गाँव में फिर एक बार सरगर्मी पैदा हो गयी कि धर्मेन्द्र और शिवलाल दोनों को अछूत निकाल दिया जाए। कलावती का मामला शहर के एक पेशेवर डॉक्टर के पास ले जाकर ठीक-ठाक करा दिया गया था। वह वहीं से मिर्जापुर अपने ननिहाल भेज दी गयी थी। शिवलाल अभी तक नहीं लौटे थे। लोगों ने कहा कि वे वर खोजकर ही लौटेंगे। यह भी खबर थी कि शायद शादी भी ननिहाल से ही हो।

धर्मेन्द्र और रामलाल अभी भी उसी तरह गाँठ जोड़ कर घूमते थे। धर्मेन्द्र ने शामदेव से कहा कि "लोग मुझे अछूत काढ़ने की चर्चा कर रहे हैं। बनारसी जलेस्सर और जैराम अगुवा बने हुए हैं। इसी साल बहन की शादी करनी है। मुझे तो अपने भाइयों में ही रहना है, इसके लिए चाहे मुझे जो दण्ड दिया जाए। मैं गंगा तो नहा

ही आऊँगा, भागवत भी सुन सकता हूँ।''

''कौन है तुम्हें जाति से निकालने वाला। तुम कुछ मत करो और न अपने मुँह से कुछ कबूल करो। सब ठीक हो जाएगा। मेरे जीते-जी इस हिजड़े गाँव में तुम्हें कोई जाति-बाहर नहीं कर सकता है?''

एक दिन देवप्रकाश के यहाँ बैठे लोगों को सुनाकर शामदेव ने कहा–''आ गाँव वालों को कहने दो। मान लो धर्मेन्द्र ने कुछ किया ही है तो घर में ही न किया है, किसी कुजाति के यहाँ नहीं न किया है।''

रामलाल ने एक पग और आगे बढ़कर ललकारा–''आज गाँव वाले सालों की क्यों छाती फटती है! धरमेन्दर भइया ने कुछ किया है तो मेरी ही बहन के साथ किया है न।''

''अब सुनो, हे ईश्वर, पतन की इतनी बड़ी सीमा मैंने नहीं देखी थी।'' देवप्रकाश माथा पीटकर रह गए।

''अरे अभी देखते जाओ चाचा जी'' जैराम खिलखिलाए। बनारसी एक भद्दी-सी गाली उगलकर रह गया। वह फिर बोला–''गाँव फिर भी इन सबों के यहाँ खायेगा।''

''खाए-पीए न। खाने-पीने का क्या महत्त्व रह गया है भाई। अरे जमाना इतना आगे बढ़ गया है लेकिन यह गाँव छूत-अछूत की धमकी देता फिरता है। जिसके यहाँ भुखमरों की तरह टूटकर खाएगा वह आदमी अपने को कृतार्थ अनुभव करेगा। अब यही पट्टीदारी की बड़ाई रह गयी है कि अपने ही खानदान की बहन से नाजायज संबंध जोड़ लिया गया है। ये दोनों एक-दूसरे के यहाँ खा-पीकर पट्टीदारी की शान बढ़ाएँगे। जैसे कोई मांस खाकर पान खा ले। मैं तो अब खाने-खिलाने की मुसीबत पालना ही नहीं चाहता। ठीक है, जर-जवार में जो अपने दोस्त-हित हैं, वे ही अपने भाई-बन्धु हैं, उन्हीं के साथ खाना-खिलाना चले तो ठीक।''

''अरे नाहीं हो देव भाई, गाँव हाढ़े-गाढ़े मुसीबत में काम आता है, भोज-भाज़ तो गाँव में ही शोभा देता है। इससे शादी-ब्याह, जीयन-मरन में एक भारीपन मालूम होता है।'' जलेस्सर बोले।

''तो ठीक है, एक जगह खाकर वनमुर्गिया लाए थे न, अब एक जगह खाकर टोना लाओ और एक जगह खाकर गौहत्या लाओ और मैं तो हूँ ही मुफ्त का तुम्हारा भूत झाड़ने को।'' बनारसी ने चिढ़कर जलेस्सर से कहा।

''अरे मालूम है बाबूजी, गाँव में एक घटना हो गयी है,'' रवीन्द्र ने आकर कहा।

''घटना तो इस गाँव में होती ही रहती है।'' देवप्रकाश ने उदासीनता से कहा।

''क्या हुआ हो रवीन्द्र भाई?'' जैराम ने पूछा।

''बहुत दिनों बाद चेनइया का मरद कलकत्ते से आया हुआ है। वह कहता है कि वह चिट्ठी लिखते-लिखते हार गया, चेनइया की माई उसे विदा ही नहीं करती

थी, इस बार जबरदस्ती उसे विदा कराने आया था। लेकिन जब वह आया तो यह देखकर दंग रह गया कि उसे तो गर्भ है। आस-पास की औरतों ने खूब लगा-बुझा दिया है और वह खूब गाली-गलौज कर रहा है। हरिजनों की पट्टीदारी भी इकट्ठी हो गयी और चेनइया के घर को जाति से निकाल दिया गया है।

"चेनइया का मरद उससे पूछ रहा है कि किसका गरभ है रे यह। लेकिन वह नहीं बोल रही है। चुपचाप पट्टीदारों की भीड़ में अपमानित-सी बैठी है और रह-रहकर खोई आँखों से माँ की ओर देख लेती है। उसकी माँ भी उसे डाँटती है कि हरजाई यह सब कहाँ से ले आई?

"लेकिन वह नहीं बोल रही है।"

"अरे वह क्या बोलेगी! मुझसे कोई पूछे कि वह किसका गर्भ है, मैं बताऊँगा।" बनारसी ने रामलाल को सुनाकर कहा।

"इसके बाद क्या हुआ?" जैराम ने पूछा।

"इसके बाद क्या? अभी तो यही सब चल रहा है। अब देखिए, आगे क्या होता है?" रवीन्द्र बोला।

"अरे आगे क्या? बच्चा गिरवा-वोरवा देगी और फिर किसी का हाथ पकड़ लेगी। इनकी जाति में तो यह सब चलता है।" जलेस्सर बोला।

"नहीं, यही तो बात है, मैंने चेनइया की माई से धीरे से पूछा था कि गरभ गिरवा-उरवा क्यों न दिया? तो उसकी माँ ने कहा—'क्या कहूँ बाबू, इस सोगियानवनी से मैंने बहुत कहा लेकिन तैयार ही नहीं हुई। इसे तो दुनिया को तमासा दिखाना था।' "

देवप्रकाश ने सोचा कि ब्राह्मणों की साध्वी लड़कियों से तो बढ़कर वह छिनाल हरिजन बालिका ही है न, जो न गर्भ गिरवाती है न उसके नाजायज बाप का नाम बताती है।

"अरे छोड़ो यार, चमरौटी में तो यह सब होता रहता है। मैं इन सबों का खेला खूब जानता हूँ।" बनारसी ने कहा।

"अरे तो क्या तुम्हारी बभनौटी में यह सब नहीं हो रहा है?" कहकर जैराम मुस्कराए।

"हो भी रहा है और जिनके यहाँ हो रहा है उनकी पूजा भी की जा रही है। बड़े प्रेम से लोग उनके यहाँ गिरकर भात-भोजी खा आते हैं।" देवप्रकाश ने तिलमिलाकर कहा।

"अब नहीं होने पाएगा। इस बार पाप इस तरह उजागर हुआ है कि सालों में मुँह पर कालिख पुत गयी है। गाँव के लोग बौखलाए हैं।" जलेस्सर बोला।

देवप्रकाश इस भाव से मुस्कराए कि देखना है।

"कहो चाचा जी, अब तो पंचायत का चुनाव भी आ गया। इसी में वारा-न्यारा

हो जाएगा।" जैराम बोले।

"क्या वारा-न्यारा होगा?" देवप्रकाश ने पूछा।

"अरे यही कि कौन किस ओर है और कौन किसका वोट छूत या अछूत मानता है।"

"देखो, मैं पहले की कह दे रहा हूँ कि इस बार सरपंच मैं बनूँगा। मुझे आप लोग मदद कीजिए।" बनारसी बोला।

देवप्रकाश ने बहुत विचित्र भाव से बनारसी की ओर देखा। बनारसी जहक रहा था—"एक-एक को जूता न मारा तो मेरा नाम बनारसी नहीं। इन सबों का जुलुम सहते-सहते नाकों दम हो गया।" देवप्रकाश थोड़े संकट में पड़ गए—"ठीक है, बनारसी अपने पक्ष का है लेकिन खुद शातिर, चोर, बदमाश और न जाने क्या-क्या है? इसे भला सरपंच कैसे बनाया जा सकता है?"

जैराम देवप्रकाश का संकट समझ गए, बोले—"अरे बनारसी चाचा, ठीक है आप ही सरपंच बनिए, पहले पंच तो हो लीजिए।"

"पंच तो मैं हो ही जाऊँगा। बभनौटी की तो मैं नहीं कह सकता लेकिन पूरी चमरौटी मुझे वोट देगी। नहीं देगी तो पूरी चमरौटी इकट्ठी फूँक दूँगा।" बनारसी बोला।

सब लोग हँसने लगे।

"आप लोग मजाक समझ रहे हैं?" बनारसी बोला।

"नहीं-नहीं, मजाक कैसा? अरे हम तो यह समझकर खुशी से हँस रहे थे कि सरपंच की असली योग्यता आप में है।" जैराम बोले।

"कुछ भी हो, इस बार सरपंच अपने गाँव का ही होना चाहिए। नारायणपुर के तिवारी या अहिरौली के अहीर सरपंच बन जाते हैं तो हमारे गाँव की परवाह ही नहीं करते, वे बात-बात में बेइज्जती कर देते हैं।" जलेस्सर बोले।

"तभी तो मैं कहता हूँ कि इस बार मुझे सरपंच बनाओ और फिर मैं शामदेव, शिवलाल और नारायणपुर और अहिरौली-फहिरौली सबको देखता हूँ।" बनारसी जहकने लगा।

"हाँ-हाँ चाचा, आप ही बनिएगा। अब पंचायत का चुनाव नज़दीक आ ही गया है, अब जमकर प्रचार भी होना चाहिए।" जैराम बोले।

"कल से ही देखो, मैं मामला जमाता हूँ।" कहकर बनारसी जाने लगा। जलेस्सर भी चले गए तो जैराम और देवप्रकाश पंचायत के चुनाव के बारे में बात करने लगे कि अपनी ओर से किसे पंच चुना जाए? क्या-क्या संभावनाएँ हैं?...

पंचों का चुनाव हो गया। सरपंच के चुनाव की बड़ी सरगर्मी थी। शामदेव भी सरपंच के लिए उम्मीदवार थे। देवप्रकाश और इनके पक्ष के कुछ दूसरी जातियों के लोग

पंच चुन लिए गए थे। बनारसी नहीं चुना जा सका था। इस बात से वह बहुत नाराज़ था और चमरौटी के लोगों से बदला लेने का मन ही मन निश्चय कर चुका था। लेकिन देवप्रकाश मन ही मन खुश थे। बनारसी जीत गया होता तो खामखाह सरपंची के लिए शोर मचाता। नारायणपुर के शंकर भी सरपंची पद के लिए उठ रहे थे।

जैराम की कभी इच्छा थी सरपंच बनने की और चाहते थे कि देवप्रकाश उसे इस पद के लिए उठने को कहें।

इसी बीच एक घटना हो गयी। जैराम के बड़े भाई का देहान्त हो गया। यद्यपि वे अलग थे लेकिन भाई के सन्तानहीन होने के कारण उनके क्रिया-कर्म का सारा जिम्मा जैराम पर ही आ गया।

जैराम सरपंच के लिए उठें अब इसका प्रश्न ही नहीं था—वे तो अब तीर-बाँस लेकर बैठे थे और ब्रह्मभोज के दूसरे ही दिन सरपंची का चुनाव था।

अब एक नयी चर्चा उत्पन्न हो गयी थी देवप्रकाश के घर में और उसी के समानान्तर धीरे-धीरे गाँव में दूसरे प्रकार से रेंग रही थी। देवप्रकाश और रवीन्द्र बात करते थे कि अब देखना है क्या होता है? जैराम उसके घर खा चुका है। जैराम के यहाँ उसे खाना ही पड़ेगा और इस स्थिति में गाँव के लोगों का क्या व्यवहार होगा, समझ में नहीं आ रहा था। शिवलाल का तो अभी तक जैराम के यहाँ भात-भोज बना हुआ है इसलिए उनका घर तो जाएगा ही, शेष लोगों को देखना है।

लेकिन ब्रह्मभोज के दिन जब शाम तक देवप्रकाश के यहाँ निमंत्रण नहीं आया तो उन्हें हैरानी हुई। और जब उन्हें यह मालूम हुआ कि गाँव के सभी लोगों ने उसके यहाँ खाना खाया है, केवल उन्हें नहीं बुलाया गया तो वे मर्माहित रह गए। मोतीलाल, धर्मेन्द्र, रामलाल, दयाल, जलेस्सर, बनारसी सभी एक ही पाँत में थे। किसी को कोई एतराज नहीं हुआ। वे सोचने लगे—क्या है मानवता? क्या है मूल्य? क्या कहीं कुछ नहीं बचा है? बचा है केवल सुविधापरक समझौता। जैराम जिसे हम अपना मित्र ही नहीं बल्कि रूढ़ियों, अंध-विश्वासों के विरुद्ध मानवता की लड़ाई लड़ने वाला एक इन्सान समझते थे, केवल धोखा था या सुविधापरक समझौतावाद उसे तोड़ने में सफल हो गया।...तब तो कहीं कुछ भी विश्वसनीय नहीं, कहीं कुछ भी अटूट नहीं, कहीं कुछ भी मूल्य नहीं, आत्मीय नहीं और...

"बाबू जी!" रवीन्द्र ने पुकारा।

"हाँ।" भर्राये स्वर में देवप्रकाश ने उत्तर दिया।

"चलिए खाना खा लीजिए।"

"भूख नहीं है।"

"चलिए न, भूख क्यों नहीं है। ग्यारह बज रहे हैं।"

"नहीं बिलकुल भूख नहीं है।"

"आप परेशान हैं बाबू जी, मैं जानता हूँ।...अवतार चाचा ने बहुत पहले ही कहा था कि गाँव में रहना है तो गाँव की नीति अपनानी पड़ेगी।"

"हाँ बड़े आए तुम और तुम्हारे अवतार चाचा। क्या चाहते हो कि मैं इन दो-दो कौड़ी के लोगों की मिन्नत करूँ? इनके दल में शामिल होकर भीतर-भीतर चोरी-घटियाई करके और ऊपर-ऊपर धरम-करम की कंठी पहन लूँ। जानते हो मैंने अफसर को जूता मारा था, नौकरी पर लात मारी थी, उसी स्वाभिमान को बेच दूँ इन दलबद्ध सूअरों के हाथ? बड़े आए अवतार चाचा...अवतार चाचा ने ही तो यह सब बोया है, उसी के कारण तो यह सब हो रहा है और अब मुझे सीख देने चला है। और तुम... और..."

"नहीं बाबू जी, मुझे आप गलत समझ रहे हैं। मैं अवतार चाचा की बात पर चलने का समर्थन नहीं कर रहा हूँ, केवल यह कह रहा हूँ कि अवतार चाचा की बात इस गाँव को देखते हुए सही है। इस गाँव में या तो हिजड़ा जी सकता है या बदमाश। आप कहें तो दो-चार की जान ले लूँ और लोगों की बहन-बेटियों की बेइज्जती करता फिरूँ।...मेरे पास दूसरों की बहन-बेटियों के गुप्त प्रेम-पत्र भी रखे हुए हैं। लड़कियों की शादियों के अवसर पर उनका उपयोग करूँ और शादियाँ काटता फिरूँ...फिर देखिए गाँव कैसे ठीक रहता है। इतना ही है न कि मैं अकेला हूँ। सो मर जाऊँगा या मार जाऊँगा।"

"अच्छा तुम जाओ, मुझे नींद आ रही है, सोने दो।"

रवीन्द्र समझ गया कि बाबू जी इस समय खाना खाने की स्थिति में नहीं हैं और वह भी इस समय अपने को बहुत तैश में अनुभव कर रहा था। वहाँ से चला आया और बहुत-बहुत क्रूर निश्चय उसके मन में उगने लगे। वह लीला की शादी नहीं होने देगा। जहाँ कहीं शादी तय होगी वह काटेगा और भरी सभा में प्रेम-पत्र और उसके अहीर के साथ भागने की कहानी जाहिर करेगा।...वह दयाल और चेनइया, मोतीलाल और उसके भयहु, धर्मेन्द्र और कलावती के संबंधों का इश्तहार छपवाकर गाँव-गाँव बाँटेगा और वह गाँव के बाहर बदमाशों का एक दल बनाएगा और गाँव वालों की ज़मीन, जायदाद और इज्जत की लूटपाट केरगा। ...और देखो जैरमवा को। बात करता था बड़ी-बड़ी और खुद ही गाँव वालों का शिकार हो गया।...लीला बार-बार उसके ध्यान में आने लगी। वह हमारे दुश्मन की बहन है, दुश्मन की इ़ज्जत बरबाद करनी ही चाहिए। सारे प्रेमपत्र सुरक्षित हैं, भागने वाला पत्र भी उसके पास है। इनका उपयोग वह जरूर करेगा। हाँ-हाँ ज़रूर करेगा। उसके कहने से क्या होता है—रोज मिलती है तो कहती है—भइया अब मेरी इज्जत तुम्हारे हाथ में है। मेरे पत्र दे दो न। और वह उससे कहता है कि क्यों तुम्हें मेरे ऊपर विश्वास नहीं है? तो वह चुप हो जाती है। वह विश्वास करे तो कैसे, अविश्वास करे तो कैसे?...अब रमदौना के प्रति उसे घृणा हो गयी है और उसके प्रति भी उसका लगाव ठंडा होता जा रहा

है, उसकी शादी जो तय होने जा रही है। हो तय, देखूँ कैसे तय होती है? 'तो क्या दुश्मन के नाम पर लीला की जिन्दगी बरबाद करोगे? लीला ने तुम्हारा क्या बिगाड़ा है, उसने तो अपने को तुम्हारे हाथों पहले ही बरबाद कर दिया है। क्या उसके प्रति तुम्हारा कोई दायित्व नहीं होता?' एक आवाज़ रवीन्द्र के भीतर से उठती है और वह उत्तर नहीं दे पाता। ...शायद वह कुछ नहीं कर पाएगा और यों ही जीवन-भर तड़पेगा। वह शांत हो गया और सो गया।

ठीक ही तो कहता है रवीन्द्र कि इस गाँव में हिजड़े जी सकते हैं या बदमाश। मेरे जैसे लोग जी नहीं सकते। तो रवीन्द्र ठीक कहता है उसे लठैत होना चाहिए। उसे चोर, बदमाश बन जाना चाहिए, उसे मरने-मारने का खेल खेलकर गाँव-भर को आतंकित करना चाहिए। रवीन्द्र को जानता हूँ, उसमें ये तत्त्व हैं...लगता है मैंने कभी-कभी उसके इन तत्त्वों को अपनी उदासीनता से शह भी दिया है। ठीक है, उससे मैं कहूँगा—तू बन जा, तुझे जो बनना हो। जीने के लिए जरूरी है...हाँ जरूरी है...जीने के लिए लेकिन जीने की परिभाषा क्या है। जैसे कोई एक आवाज़ भीतर से निकलकर फँस रही है...जीना...क्या वह जीना नहीं है जिसे वह सबके विरोध के बावजूद जी रहा है। क्या सारे ढकोसलों को अस्वीकार करने वाले सत्य के साथ चलना और उसके लिए एक गर्व अनुभव करना जीना नहीं है? क्या अपने वैशिष्ट्य को खोकर भीड़ में खो जाना ही जीना है...ओह, कुछ भी समझ में नहीं आ रहा है...सोचना छोड़ दूँ...सोचना ही सबसे बड़ी परेशानी है...लेकिन वह अनजाने ही देर तक सोचता रहा, सोचता रहा।

दो दिन बाद होली है और आज दो बजे पास के हाई स्कूल में सरपंची का चुनाव है।

देवप्रकाश सुबह-सुबह खेतों की ओर निकल गए थे। फागुन की पीली धूप कुछ पीली कुछ हरी फसलों पर फैली हुई थी। बगीचे के पास के सेमल में अंगारों की तरह पत्रहीन पुष्प दहक रहे थे। आमों के बौर की गंध पूरे वातावरण में तड़प रही थी। देवप्रकाश ने देखा—प्रकृति में सब कुछ वैसा ही है लेकिन लोग कितना बदल गए हैं—न फागुन की मस्ती है, न रागरंग है, न भाईचारा है, न रास्तों पर बहती हुई अबीर-गुलाल की रंगीनी है...बस पंचायत है—आज सरपंची का चुनाव है न। देखो इस बार होली का वातावरण कितने ईर्ष्या-द्वेष से काला होकर बीतता है। वे खेतों के बीच घूमते रहे, घूमते रहे, कुछ शांति मिली तो कोयल कूक उठी। वे होली का एक पुराना गीत गुनगुना उठे—

पिउ पिउ बोले पपिहरा
बनवाँ बोले मोर
बगिया में बोले कोइलिया

सेजियाँ सैंया तोर
आवत के डर लागे

उनके गीत की कड़ी छिन्न-छिन्न हो गयी। देखा दयाल थाने की ओर जाता हुआ जोर-जोर से एक फिल्मी गीत गा रहा था–

मेरा नाम है चमेली
मैं हूँ मालन अलबेली
चली आई मैं अकेली बीकानेर से
ए दरोगा बाबू बोलो
ज़रा दरवज्जा तो खोलो
दरवज्जे पै मैं खड़ी हूँ बड़ी देर से

कहाँ अपने ही पति की सेज पर जाते हुए डरती प्रिया, कहाँ बीकानेर से अकेली चल कर दरोगा का दरवज्जा खोलवाती हुई अभिसारिका मालिन! उसे लगा जैसे वसन्त थाने के अहाते में सिर नवाए बैठा है एक अपराधी की तरह। दयाल जी हैं न, ये भी थाने का दरवज्जा ही खोलवाते रहते हैं।

देवप्रकाश घर लौटने लगे तो रामी तलाव के पीपल के नीचे आकर खड़े हो गए। कोई अक्षत पानी ढरका गया था, हाँ आज शनिवार है न।

रामी तलाव का पानी काफी सूख गया था। सूखे हुए जल पर एक हरी-हरी गंदी पर्त बिछी हुई थी, किनारे-किनारे काफी कीचड़ फैला हुआ था और सूखी हुई कीचड़ पर लोगों के मलमूत्र बिखरे हुए थे। उन्हें उबकाई आ गयी। वहाँ से जल्दी-जल्दी घर की ओर लौट आए। देवप्रकाश जाकर सीधे अपनी घारी में बैठ गए। देखा शामदेव के दरवाज़े पर महफिल जमा है और पंचायत की ही बात हो रही है। लोगों ने देव को घारी में बैठे हुए देख लिया और ज़ोर-ज़ोर से बातें करने लगे।

शामदेव बोले–''भाइयो, ठीक है आप लोग समझते हैं कि मैं लायक हूँ तो वोट दीजिए नहीं तो कोई बात नहीं।'' धर्मेन्द्र ने समर्थन में कहा–''आप लायक तो हैं ही, दूसरे सबसे बड़ी बात तो यह है कि आप अपने गाँव के हैं। लोगों के सुख-दुःख में काम आएँगे। अब नारायणपुर और अहिरौली के सरपंचों को लेकर हम क्या करेंगे? वे तो अपने-अपने गाँव का पक्ष लेंगे। मानो बताओ भाइयो, मैं कोई झूठ कह रहा हूँ।''

''नहीं-नहीं, एकदम पक्की बात है।'' रामलाल ने कहा।

''आज यह भी सही है कि गाँव में जब दस आदमी हैं तो उनमें कभी कहा-सुनी भी हो जाती है, वैर-विरोध भी हो जाता है। अरे भाई जहाँ दस बरतन होंगे वहाँ टकराहट तो होगी ही। लेकिन भाई-भाई का प्रेम और विरोध दोनों अच्छा लगता है। सब अपने खून में ही अच्छा लगता है, अब यह क्या कि दूसरे गाँव का आदमी सरपंच बनकर हमारे आपसी झगड़ों का फैसला करने आए। अरे भाई, अपने गाँव

का सरपंच रहेगा तो उसके सामने घर की बात रखने में शरम तो नहीं आएगी। क्यों नेताजी, मैं कोई झूठ कह रहा हूँ।'' एक तीसरे आदमी ने कहा।

''नहीं-नहीं बिल्कुल ठीक कहा आपने। एकदम सही बात है कि भाई-भाई में प्रेम और तकरार दोनों होते हैं। तकरार होने पर भी भाई-भाई ही रहता है, अंग्रेजी में कहावत है कि खून पानी से गाढ़ा होता है।'' नेता मोतीलाल जी बोले।

''अरे भाई मैं तो चाहता हूँ कि गाँव प्रेम से रहे, धरम-करम पर चले, मुझसे जितनी सेवा हो सकती है मैं यों ही करता रहता हूँ। बाकी बात रही सरपंची की सो उसमें क्या रखा है? लोगों की राय बात होगी तो मैं बन जाऊँगा, नहीं बनूँगा तो भी क्या फरक पड़ेगा?''

''नहीं-नहीं, आप ही को बनना पड़ेगा।'' धर्मेन्द्र ने कहा।

देवप्रकाश समझ रहे थे कि ये सारी बातें उन्हीं को सुनाई जा रही हैं? न उन्हें हँसी आ रही थी न क्रोध। एक अद्‌भुत भाव-बोध में फँसे थे।

वे जानते थे कि उन्हीं का वोट निर्णायक है। तीन उम्मीदवार हैं और सबको बराबर वोट मिल रहे हैं ऐसा अनुमान किया जा रहा था। उसका वोट जिस ओर पड़ जाएगा वह विजयी होगा। इसीलिए शामदेव के यहाँ यह सब मायाजाल फैलाया जा रहा था।

''नमस्ते भाई साहब!''

देवप्रकाश ने देखा कि नेता जी झोलदार कुरता लहराते हुए चले आ रहे हैं।

''आइए, मैंने आप लोगों की बात सुन ली है। बहुत ऊँचे खयाल हैं आप लोगों के।''

''चलिए, आपने हमारी किसी बात को पसन्द तो किया। ओ-हो-हो'' कहकर नेता जी हँसने लगे।

''कहिए क्या सेवा करूँ?''

''सेवा? अरे सेवा-वोवा क्या भाई साहब, बस कृपा रखिए, यही बहुत है।''

कुछ देर चुप्पी रही। मोतीलाल फिर बोले—''जैराम जी का व्यवहार समझ में नहीं आया। मुझसे तो शामदेव जी ने कहा कि अजब उजबक आदमी है जैराम भी, देवप्रकाश का इतना बड़ा दोस्त होकर उन्हें अपने यहाँ खाने पर ही नहीं बुलाया। अरे भाई, मैंने तो उसी दिन कह दिया था कि जिसकी जहाँ इच्छा हो खाए-पिए, कोई बन्दिश नहीं है। फिर जैराम को क्या सूझी?''

''तो शामदेव गाँव के मालिक हैं या शास्त्र निर्माता हैं या धर्म के नियामक हैं? क्या है कि उनके कहने पर गाँव के अन्य लोग आपस में खाना-पीना बन्द करेंगे और शुरू करेंगे।'' तिक्तता से देवप्रकाश बोले।

''आप बात सही कह रहे हैं भाई साहब, मैं भी इस गाँव के छुटभैयों की इस हरकत को नापसंद करता हूँ कि वे शामदेव या शिवलाल के कहने पर चलते रहें...खैर,

यह दूसरा पहलू है। इस समय बात इतनी ही कहनी है कि शामदेव ने आपका विरोध नहीं किया, वे चाहते रहे कि खाना-पीना फिर शुरू हो जाए।''

''वे तो चाहते रहे, लेकिन मैं नहीं चाहता किसी के यहाँ खाना-पीना शुरू करना। सब मेरे लिए अछूत हैं। मेरे आचरण और कर्तव्य का निर्णय ये टके के लोग करें, यह मुझे स्वीकार नहीं।''

''यहीं आप भूलते हैं। समाज के सामने व्यक्ति की हैसियत छोटी होती है। प्रजातंत्र में समाज का आदर करना चाहिए और कुछ पीड़ा झेलकर भी समाज की सत्ता को नकारना नहीं चाहिए।''

''बात तो आपकी ठीक है बन्धु, लेकिन समाज का बहुत छोटा अर्थ लगा रहे हैं आप। वास्तव में मैं बहुत छोटे समाज से निकलकर एक बड़े समाज से जुड़ना चाहता हूँ जो निरन्तर गाँव, जवार, प्रदेश, देश की सीमाएँ तोड़ता हुआ अंतर्राष्ट्रीय बन जाता है जहाँ समाज से जुड़ने का आधार टोलावाद, जातिवाद, स्वार्थवाद आदि नहीं होता, शुद्ध मानवीय धर्म होता है।''

''यह तो ठीक है किंतु समाज का मूर्त रूप दिखाई पड़ता है अपने आस-पास ही। वही मूर्त समाज धीरे-धीरे विकसित होकर अंतर्राष्ट्रीय बनता है। जिसने अपने आस-पास के समाज को नहीं देखा, उसमें आस्था नहीं व्यक्त की वह बृहत्तर समाज को एक अवधारणा के स्तर पर ही ग्रहण कर सकता है।''

देवप्रकाश यह देखकर भीतर-भीतर सुलगने लगे थे कि यह नेता कितने पैंतरे बदल सकता है और पता नहीं क्या समझकर मुझे समाज-धर्म सिखाने आ गया है लेकिन मुस्कराकर कहा—''देखो भाई, मुद्दे की बात करो, यह सब बहस तो चलती रहेगी। हाँ, आज सरपंची के चुनाव का क्या रुख है?''

''मैं उसी बारे में कुछ कहना चाहता रहा। मैं समझता हूँ कि शामदेव अपने गाँव के हैं, उन्हीं को सरपंच चुनना चाहिए।''

''ठीक है तो चुनिए। मेरे लिए तो अपने गाँव और दूसरे गाँव का भेदभाव ही नहीं रहा। मैं तो अपने गाँव से निकलकर दूसरे गाँव में जुड़ चुका हूँ। मेरे लिए तो समाज का एक विराट रूप सामने खुलता हुआ दीख रहा है।''

''देखिए फिर वही बात। आप शंकर के पक्षपाती हैं लेकिन यदि अपने गाँव और दूसरे गाँव का भी भेदभाव मिटा दीजिए तो भी आप पाएँगे कि शंकर बड़ा घुटा हुआ आदमी है। उसका इतिहास देख जाइए। वह ऊपर से बड़ा शरीफ, उदार और निष्पक्ष दीखता है लेकिन भीतर से बहुत ही कमीना, अनुदार और पक्षपाती आदमी है। देखिएगा, सरपंच बनने के बाद कमा कर घर भर देगा।'' देवप्रकाश का पारा चढ़ने लगा फिर भी संयत होकर बोले—''अच्छा उठिए, वोट का समय हो रहा है—नहाया-धोया जाए।''

मोतीलाल उठ आया तो देवप्रकाश बुदबुदाए—''दलाल कहीं का! जरूर शामदेव

ने इसे प्रलोभन दिया होगा।''

और मोतीलाल मर्माहित होकर सोच रहा था कि शामदेव यदि सरपंच नहीं हुए तो? उन्होंने सरपंच होने के बाद जो बनारसी और उसके बीच झगड़े वाली ज़मीन में उसका साथ देने का वायदा किया है उसका क्या होगा?

देवप्रकाश घर से निकलकर बगीचे में गए तो वहीं जैराम मिल गए। देवप्रकाश के सामने आते ही उनका चेहरा झाँवे की तरह काला पड़ गया। देवप्रकाश ने हँसकर उनका स्वागत किया और हाल-चाल पूछा।

''आपके सामने आने से मुझे शरम आ रही है। मैं अपने को बहुत हारा हुआ और गिरा हुआ अनुभव कर रहा हूँ, लेकिन नहीं आता तो और भी ग्लानि होती।'' जैराम ने दीन भाव से कहा।

''नहीं-नहीं, इसमें क्या बात है। आओ चलें स्कूल पर। यह सब तो होता रहता है।''

जैराम ने समझा कि देव चाचा भीतर-भीतर इतने नाराज या दुःखी हैं कि उस प्रसंग को लाना ही नहीं चाहते। इसलिए उसने कहा–''स्कूल तो चल ही रहा हूँ। मैं आपका ही इन्तजार कर रहा था। आपके घर आने की हिम्मत तो हुई नहीं लेकिन जो पाप मैंने किया है उसका प्रायश्चित्त क्या है यह भी आपसे पूछना चाहता हूँ।''

देवप्रकाश ने जैराम की आँखों में आँखें डाल कर कहा–''प्रायश्चित्त? किस बात का प्रायश्चित्त? भाई, एक जाति-बहिष्कृत पापी आदमी से संबंध न रखने पर कोई पाप नहीं।''

''मैं जानता हूँ आपकी व्यथा को चाचा जी।''

''मुझे कोई व्यथा नहीं है जैराम! यदि है तो इस बात की कि मेरा एक सपना टूट गया।'' देवप्रकाश तड़पे।

जैराम शान्त रहे, फिर बोले–''आप ठीक कह रहे हैं। मैं आपके सामने अपनी प्रतिष्ठा स्थापित करने का प्रयत्न नहीं करूँगा। केवल एक मजदूरी का इज़हार करना चाहूँगा जिसने मुझे तोड़ दिया और मैं निरुपाय होकर टूट गया।''

देवप्रकाश चुपचाप देखते रहे।

जैराम कहते गए–''आप जानते हैं मेरी भाभी मुझसे अलग हैं और एक में होतीं तो भी कुछ अन्तर नहीं पड़ता। वे ज़िद पर आ गयीं कि पति का काम-काज ढंग से करो। ढंग से करो यानी पूरे गाँव को खिलाओ और गाँव को खिलाना चाहते हो तो देव बाबू को अलग रखो क्योंकि उनके आ जाने से सारा गाँव बायकाट कर देगा।

''भाभी का यह कथन मेरे लिए वज्रपात के समान था। मैंने चुपचाप पता लगाया तो मालूम पड़ा कि रामलाल और धर्मेन्द्र अभी भी आपके साथ खाने को तैयार नहीं हैं और आप जानते ही हैं कि इन सबके पीछे किसका हाथ है। शिवलाल

तो मुँह काला करके जो निकले सो अभी लौटे नहीं–गुपचुप जरूर घरवालों से मिलते होंगे। बस शामदेव ही इन्हें चुपचाप उकसाते रहे।...अब बताइए चाचा जी मैं क्या करता? भाभी मेरे कुछ कहने पर रोने लगती थीं कि तुम जानबूझ कर मेरे मरद का काम बिगाड़ने पर तुले हो। तुमने ऐसा किया तो मैं तुम्हारे सामने ही जान दे दूँगी।'' जैराम खामोश हो गए। उनके मौन से लगा कि जैसे सचमुच कहीं इतनी गहराई में टूट गए हैं कि न हँस सकते हैं न रो सकते हैं।

''नहीं-नहीं भाई, आप दुखी न हों। मैं आपकी विवशता समझ गया। आप जैसे दो-चार लोग गाँव में और हों तो गाँव सुधर जाए।'' देवप्रकाश ने धैर्य देने की कोशिश की। लेकिन जैराम की व्यथा जैसे दूर नहीं हुई और शुद्ध मन से भी की गयी प्रशंसा उन्हें व्यंग्य लगी।

''अब तो अपने पर से विश्वास उठ गया है चाचा जी और लगता है कि जब तक अगले किसी अपने यज्ञ-भोज में आपके साथ होकर गाँव वालों से संघर्ष न किया तब तक अपने को भी पतियाने का साहस नहीं हो रहा है।''

''अरे छोड़ो भाई, हाँ आज मोतीलाल शामदेव के दलाल बनकर आए थे।''

''वे तो आएँगे ही। नेताओं का तो यही रोल रहा है–क्या गाँव के स्तर पर और क्या देश के स्तर पर।''

'टें टें टें' की आवाज़ से दोनों की दृष्टि रामी तलाव के ऊपर गयी। उसके पास से गुजरते हुए देखा कि कुछ लोग मछली मारने का जाल फैलाए किनारे बैठे हैं और दो-चार आदमी जल को हड़होड़ रहे हैं। जल के भीतर दबी हुई जैसे वर्षों की गंदगी ऊपर आ रही है। चक्करदार गंदे जल में मछलियाँ इधर से उधर बेतहाशा भाग रही हैं। चीलें, बगले ऊपर-ऊपर झपट्टा मारने के लिए उड़ रहे हैं।

देवप्रकाश ने जैराम की ओर देखा–''तो अब इसकी मछलियाँ भी मरनी शुरू हो गयी हैं।''

''हाँ अब हो गयी हैं। इस सार्वजनिक ताल को शामदेव और शिवलाल ने काफी दिनों पहले चुपके से अपने नाम लिखा लिया था और अब मछलियाँ मरवा-मरवा कर बाजार में बिकवाएँगे।''

''कायदे से तो यह गाँव-सभा की सम्पत्ति होनी चाहिए थी।''

''हाँ चाचा जी, मैंने कहा न इन्होंने इसे अपने नाम लिखा लिया था, अब कुछ दिनों बाद इसमें खेती करेंगे।''

''अच्छा!'' और देवप्रकाश के मन में रामी तलाव और शिकारपुर गाँव एक दूसरे के प्रतिरूप बनकर बारी-बारी उभरने लगे।

दोनों स्कूल पहुँच गए। वोटिंग हुई। शंकर एक वोट से जीत गए। वे झपट कर देवप्रकाश के पास आए और लिपट गए। शामदेव की मंडली चुपचाप लौट आयी।

धीरे-धीरे भीड़ बिखर गयी। नारायणपुर के कुछ लोग, देवप्रकाश और जैराम

रह गए।

शंकर ने हाथ जोड़कर देवप्रकाश से कहा—"आशीर्वाद दीजिए भाई साहब, कि मैं कुछ कर सकूँ और आशीर्वाद ही नहीं आप स्वयं हमारे साथ रहिए।"

"आशीर्वाद का कोई अर्थ है तो वह तो तुम्हारे साथ है ही भाई, लेकिन लगता है कि अब सत्य-न्याय के लिए उठती हुई आवाज़ नक्कारखाने में तूती की आवाज़ बनकर रह गयी है। फिर भी जब तक आदमी है यह आवाज़ कहीं न कहीं से उठती ही रहेगी।"

सब लोग चलने लगे तो देवप्रकाश जहाँ के तहाँ खड़े रह गए।

"क्यों चाचा जी घर नहीं चलिएगा?" जैराम ने पूछा।

"नहीं, मुझे यहीं से शहर जाना है।"

"कब तक लौटेंगे?"

"कुछ ठीक नहीं" उन्होंने गोलमोल-सा उत्तर दिया।

वह शहर चला जा रहा था। वह असिस्टेंट स्टेशन मास्टर था। एक दिन उसने स्टेशन मास्टर की किसी बदतमीजी पर उसे जूता मारा था—यह कहकर कि 'मैं तुम्हारा गुलाम नहीं हूँ, मैं कोई निघरा नहीं हूँ, अपना गाँव है, अपनी खेतीबारी है। मैं किसी ऐरे-गैरे नत्थू खैरे की धौंस क्यों सहूँ?' और वह नौकरी को लात मारकर गाँव वापस चला आया था। आज फिर गाँव से शहर की ओर जा रहा है—पाँच वर्ष बाद। कहीं कोई नौकरी मिल जाए तो कर ले...इस गाँव में रहकर यह खुद भी गिरता जा रहा है।...वह चीजों का विरोध करता-करता उन्हीं का अंग बनता जा रहा है।

नदी के पास पहुँचा तो झुटपुटा हो गया। पार उतरकर चलने लगा तो देखा चेनइया धीरे-धीरे चली जा रही है। उससे चला नहीं जा रहा है। धीरे-धीरे अपने को घसीट रही है।

"कहाँ तू रे चेनइया।"

चेनइया घबड़ा गयी। बहाना बनाती हुई बोली—"यों ही बाबा, एक नात[1] के यहाँ जा रही हूँ।"

"देख चेनइया झूठ न बोल, मैं सब कुछ जानता हूँ, तेरे दुःख को पहचानता हूँ, यह गाँव सचमुच रहने लायक नहीं है।"

चेनइया देवप्रकाश का कोमल सहलाव पाकर फूट गयी—"बाबा, गाँव सचमुच रहने लायक नहीं है, मैं गाँव से भाग रही हूँ। गाँव ने मुझे बेस्सा[2] बनाकर छोड़ दिया, अब जान लेने पर उतारू है।"

"जान लेने पर?" देवप्रकाश ने चौंककर पूछा।

---

1. संबंधी।
2. वेश्या।

"हाँ बाबा, और मेरी माई है न, वह बड़ी हरजाई है। सब उसी का किया हुआ है। उसी के कारण तो मैं रंडी बन गयी, और पेट में बच्चा आया तो उसने चाहा कि बच्चे को गिरा दूँ। मैंने इनकार कर दिया। शिवलाल बाबा तो मुँह काला करके गायब हो गए लेकिन दयाल बाबू रोज हमें धमकी देते रहे कि साली नाम बताया तो थाने में बंद करवाकर तेरी ऐसी की तैसी करवा दूँगा और पेट में जो झोरी लटकाए घूम रही है उसे भी खत्म कर, नहीं तो तुझे भी खत्म कर दिया जाएगा।"

"तो कहाँ जाएगी।"

"मैं नहीं जानती, लेकिन कहीं भी जाऊँगी मेरा बच्चा तो बचा रहेगा। और सुना है दुनिया बहुत बड़ी है बाबा, क्या कहीं मुझे जीने का सहारा नहीं मिलेगा?"

"जरूर मिलेगा।" देवप्रकाश बुदबुदाए लेकिन उनके मन में न जाने स्त्री को लेकर कितनी आशंकाएँ कौंध गयीं।

"इस समय कहाँ जाएगी?"

"इस समय? वही आगे वाला गाँव है न, वहीं मेरा एक नात रहता है, उसी के यहाँ रात काटूँगी, फिर कल देखा जाएगा।"

देवप्रकाश को आशंका हुई कि शायद यह झूठ बोल रही है। हो सकता है कि रात किसी पेड़ तले काट दे लेकिन वह उसके लिए कर भी क्या सकता है?

"अच्छा बाबा, मैं तो इधर चली। आप पहले आदमी हैं जिनसे अपना दुख-दरद कहा है, आप मेरी बात के बारे में किसी से कुछ न कहिएगा।" कहकर वह मुड़ गयी और अपने ही बोझ को धीरे-धीरे खींचने लगी।

देवप्रकाश भी भारी कदमों से बस स्टैण्ड की ओर खिसकने लगे। उन्हें लगा कि गाँव से बहिष्कृत दो आत्माएँ किसी बड़े किंतु अनजाने समाज से मिलने के लिए अलग-अलग दिशाओं में सरक रही हैं।

●●●